Costumes
Kostüme
Trajes

L'Aventurine

Textes : Clara Schmidt
English translation: William Wheeler
Deutsch: Annett Richter.
Traducción española: Stéphanie Lemière

ISBN 2-914199-20-1

• Contents • Sommaire • Inhalt • Índice •

• Foreword • Avant-propos • Vorwort • Prólogo 6
• Antiquity • Antiquité • Altertum • Antigüedad 9
• Middle Ages • Moyen Âge • Mittelalter • Edad Media 26
• New world • Nouveaux mondes • Neuzeit • Mondos Nuevos 105
• National costumes • Costumes nationaux • Nationaltrachten • Trajes nacionales . 152
• Renaissance • Renacimiento 170
• 17th and 18th centuries • XVIIe et XVIIIe siècles • 17. Jh. und 18. jh. • Siglos XVII y XVIII 232
• 19th century • XIXe siècle • 19. Jahrhundert • Siglo XIX 268
• 20th century • XXe siècle • 20. Jahrhundert • Siglo XX 310
• Captions • Légendes • Legenden • Leyendas. 350

Foreword

Whether they are made from animal skins, wool, or cloth, clothes serve many purposes. They protect the body from the elements, hide it while showing it off. They are a second skin and an old saying seems quite appropriate, "Tell me what you wear and I'll tell you who you are". Through more than fifteen hundred examples, we wouild like to take you on a journey starting in Antiquity and finishing in the 1920's to visit the fanciful world of costumes.

From Veccellio in the 16th century to mail order catalogues, printed documents on costumes constitute source books which are constantly propagated. They provide inspiration for artists — painters, sculptors and draftsmen — and also for costume designers and couturiers.

These images can be studied and enjoyed by armchair historians for their quaint charm, although they are important references for numerous trades.

Please do not be surprised if, while browsing through the pages of this book, you come across models created several centuries ago which seem to have stepped off the pages of the latest fashion magazines.

Avant-propos

Le vêtement, qu'il soit en peau de bête, en laine ou en tissu, a de multiples fonctions. Il protège le corps des éléments naturels, le cache tout en le mettant en valeur. Il est comme une seconde peau et l'on pourrait aisément mettre en application cet adage : « Dis-moi ce que tu mets, je te dirai qui tu es. » À travers plus de mille cinq cents exemples, nous avons voulu vous faire voyager au fil du temps, de l'Antiquité jusqu'aux années 1920 et vous montrer l'art du costume dans toute sa fantaisie.

De Veccellio – au XVIe siècle – aux catalogues de vente par correspondance, les imprimés sur le costume sont autant de recueils de modèles qui n'ont cessé de se propager. Au fil du temps, ils ont servi de source d'inspiration aux artistes – peintres, sculpteurs ou dessinateurs – et aussi aux costumiers, stylistes, et autres couturières.

De nos jours, ces gravures peuvent être vues comme de simples curiosités par l'historien amateur féru d'images d'Épinal, tout comme elles demeurent des références pour de nombreux corps de métiers ou créateurs.

C'est pourquoi en parcourant ces pages, vous ne vous étonnerez pas de voir des modèles datant de plusieurs siècles ressembler furieusement à ceux présentés dans les magazines de mode actuels.

Vorwort

Kleidung, sei es Tierhaut, Wolle oder Stoff, hat mehrere Funktionen. Sie schützt den Körper als natürliches Element.
Sie ist wie eine zweite Haut, so dass sich folgendes Sprichwort anwenden ließe: Sag mir was Du trägst und ich sage Dir wer Du bist. Beim Durchqueren von über eintausend fünfhundert Beispielen, wollten wir Sie einladen mit uns durch den Lauf der Zeit zu reisen bis hin zu den zwanziger Jahren des 20. Jahrhunderts um Ihnen die Kunst der Kleidung mit ihrer ganzen Fantasie zu zeigen. In Veccellios Versandkatalogen aus dem 16. Jahrhundert erscheinen die Abbildungen der Kleider wie eine Modellsammlung, deren Angebot nicht aufzuhören scheint. Im Laufe der Zeit haben sich diese Abbildungen und Modelle zu Inspirationsquellen von Künstlern Malern, Bildhauern, Zeichnern oder auch Designern und anderen Couturiers avanciert. Heute könnten diese Gravuren als simple Spielereien angesehen werden, die Neugierige und Geschichtsinteressierte be geistern oder auch als Referenz zahlreicher Createure und anderen handwerklichen Künsten dienen.Beim Durchblättern dieser Seiten werden Sie deshalb Sie nicht erstaunt sein, Modelle vergangener Jahrhunderte zu finden, welche man in den Modezeitschriften unserer Zeit wiederentdeckt.

Prólogo

El vestido, tanto sea de piel, de lana o de tela, cumple siempre una función determinada. Protege el cuerpo de los elementos naturales, lo cubre al mismo tiempo que lo destaca. Es como una segunda piel que nos lleva a aplicar el siguiente dicho : "Dime lo que llevas puesto y te diré quién eres."
Mediante más de mil quinientos ejemplos, hemos querido hacerle viajar a través del tiempo – desde la Antigüedad hasta los años 1920 – y descubrir el arte vestimentario en toda su fantasía.
Desde Veccellio – en el siglo XV – hasta los catálogos de venta por correspondencia, los estampados en los trajes representaron toda una variedad de modelos que no ha dejado de propagarse. Al transcurrir los años, han sido una fuente de inspiración para los artistas – pintores, escultores o dibujantes – como también para los sastres, diseñadores y modistas.
Hoy en día, estos diseños pueden ser vistos como simples curiosidades por el historiador *amateur* ávido de imágenes populares de antaño, y siguen siendo tomados como referencia para muchas corporaciones o creadores.
Así, hojeando estas páginas, es sorprendente la gran similitud entre los modelos antiguos y los que se pueden ver en las actuales revistas de moda.

• Antiquity •
• Antiquité •
• Altertum •
• Antigüedad •

• Middle Ages •
• Moyen âge •
• Mittelalter •
• Edad Media •

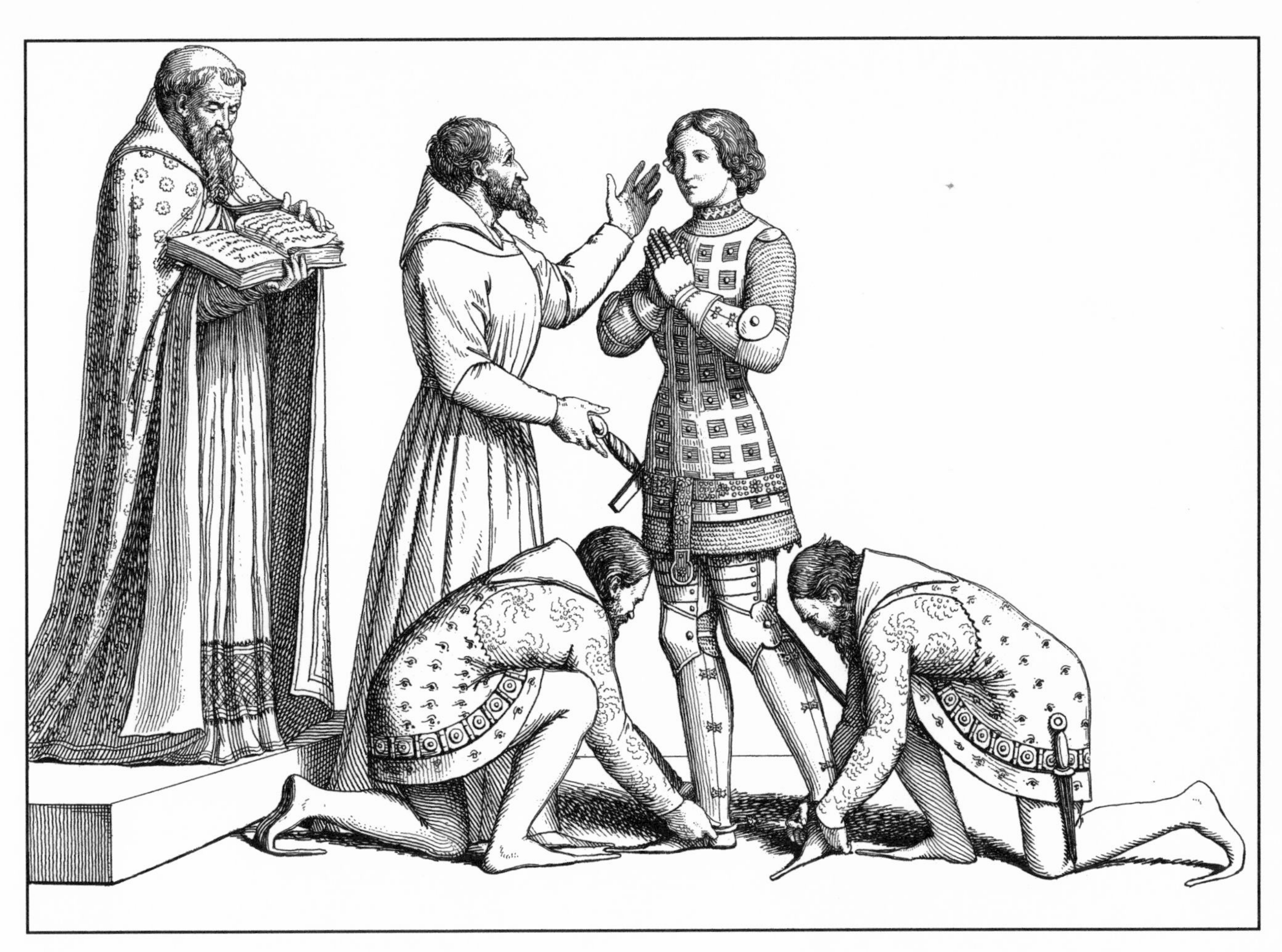

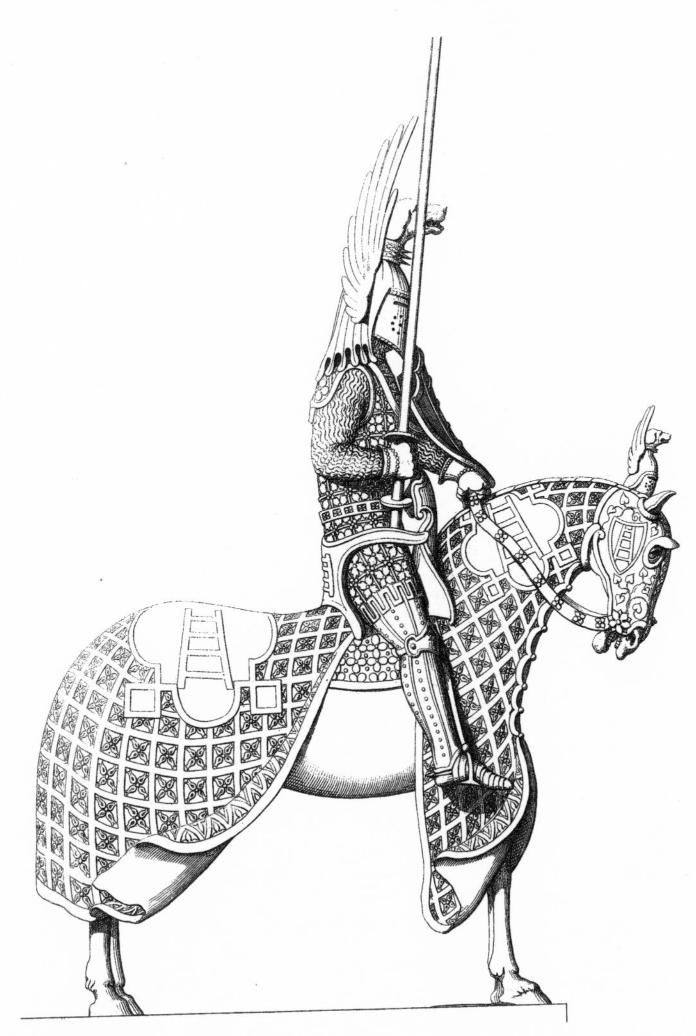

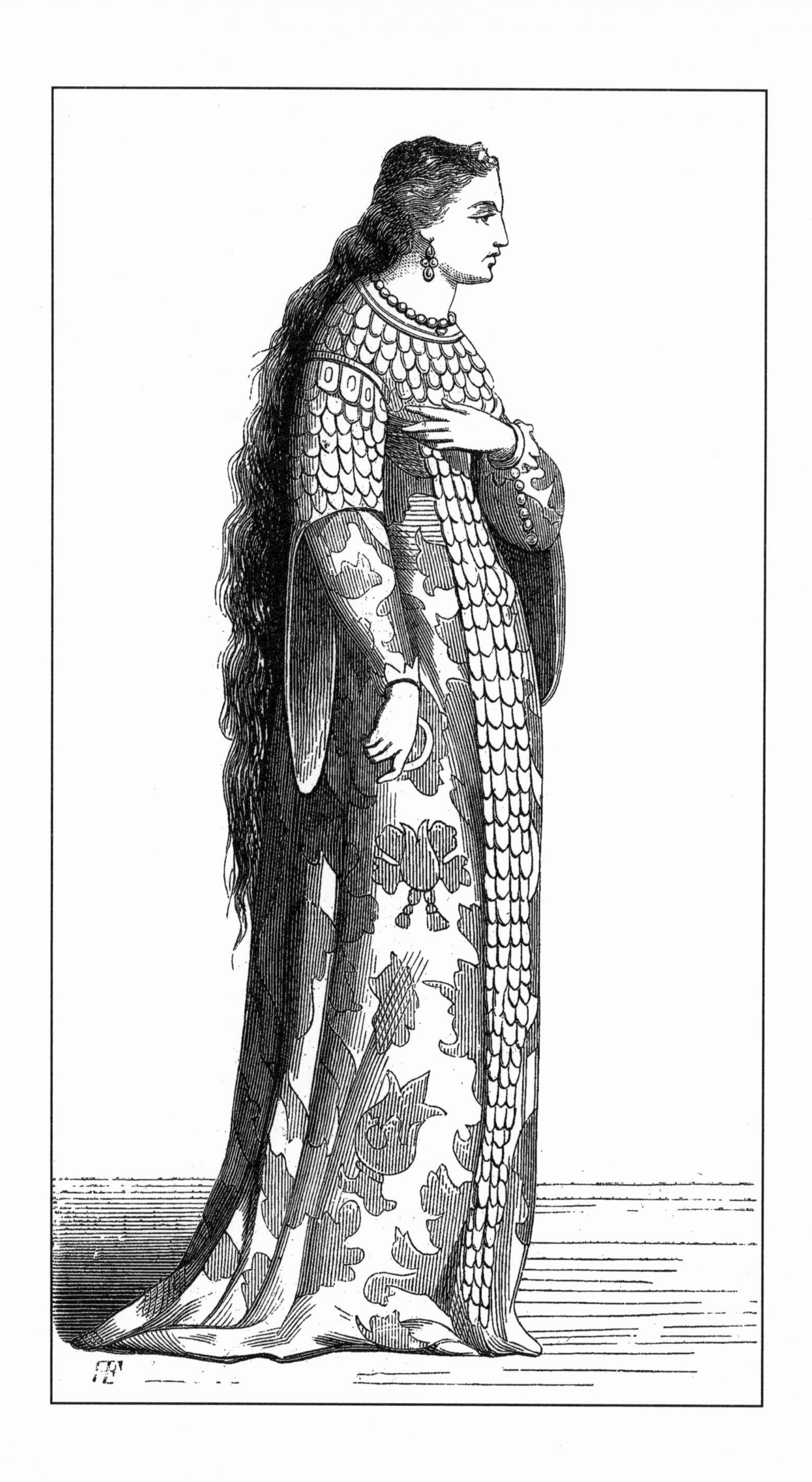

CORDIER

IHS

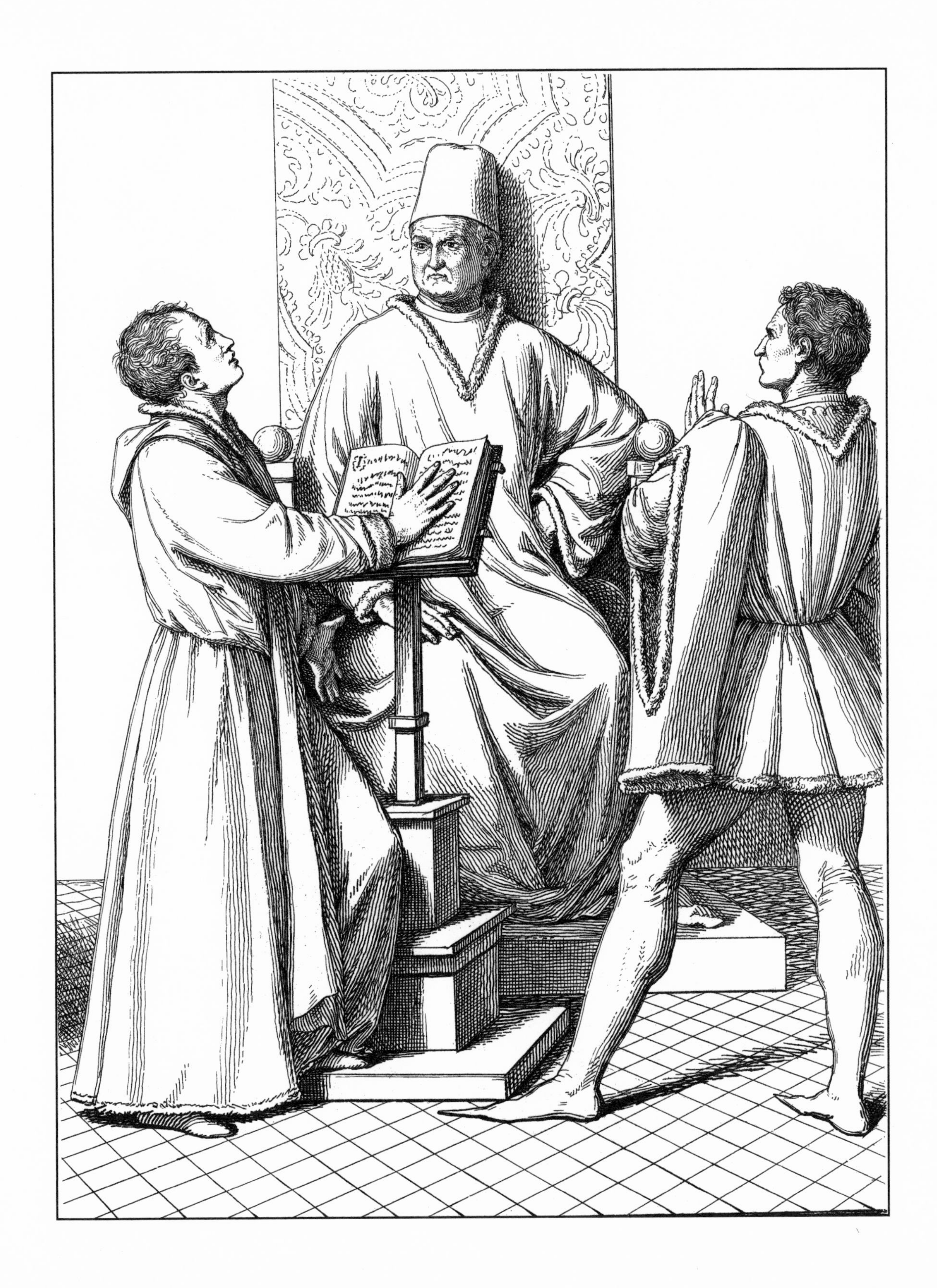

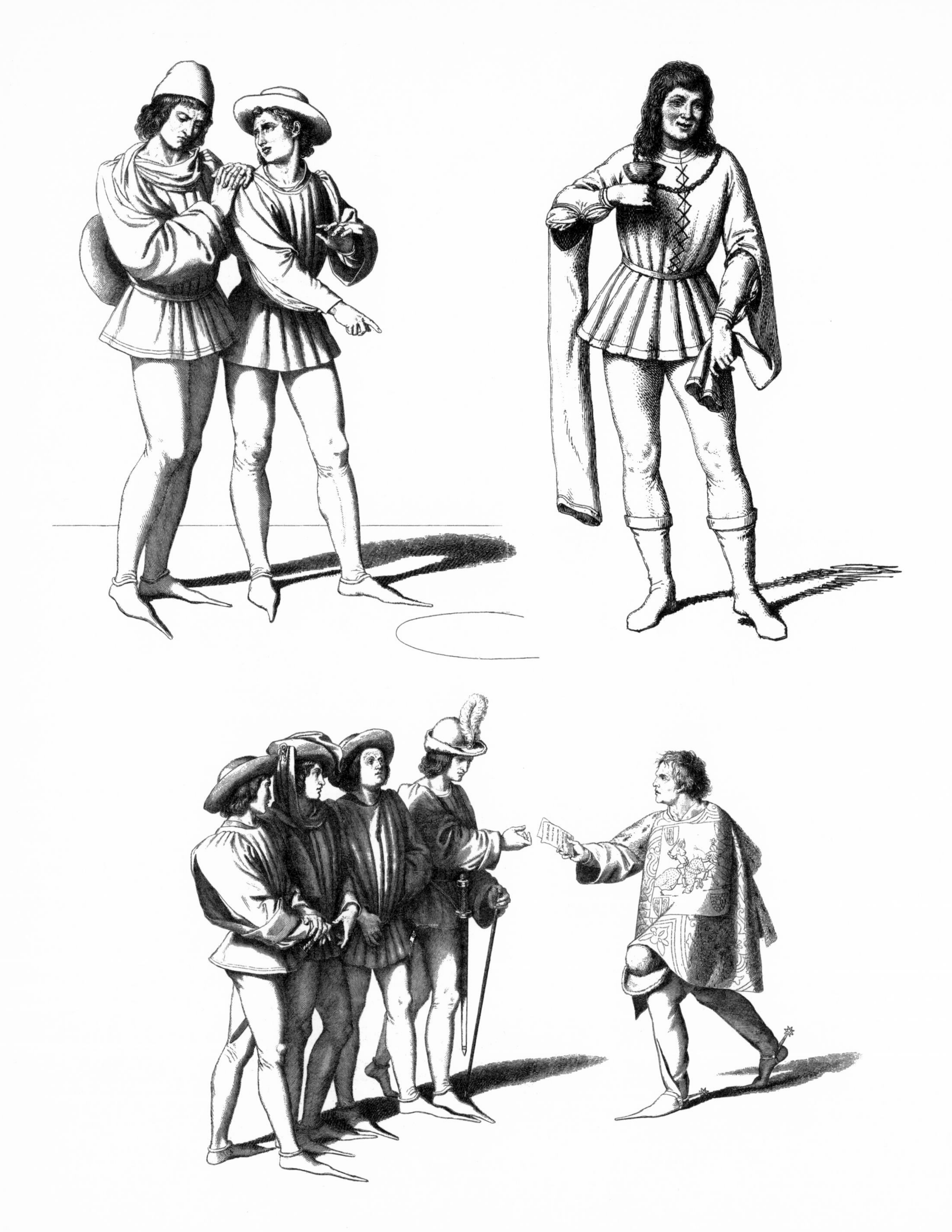

BEVIARD. Sc

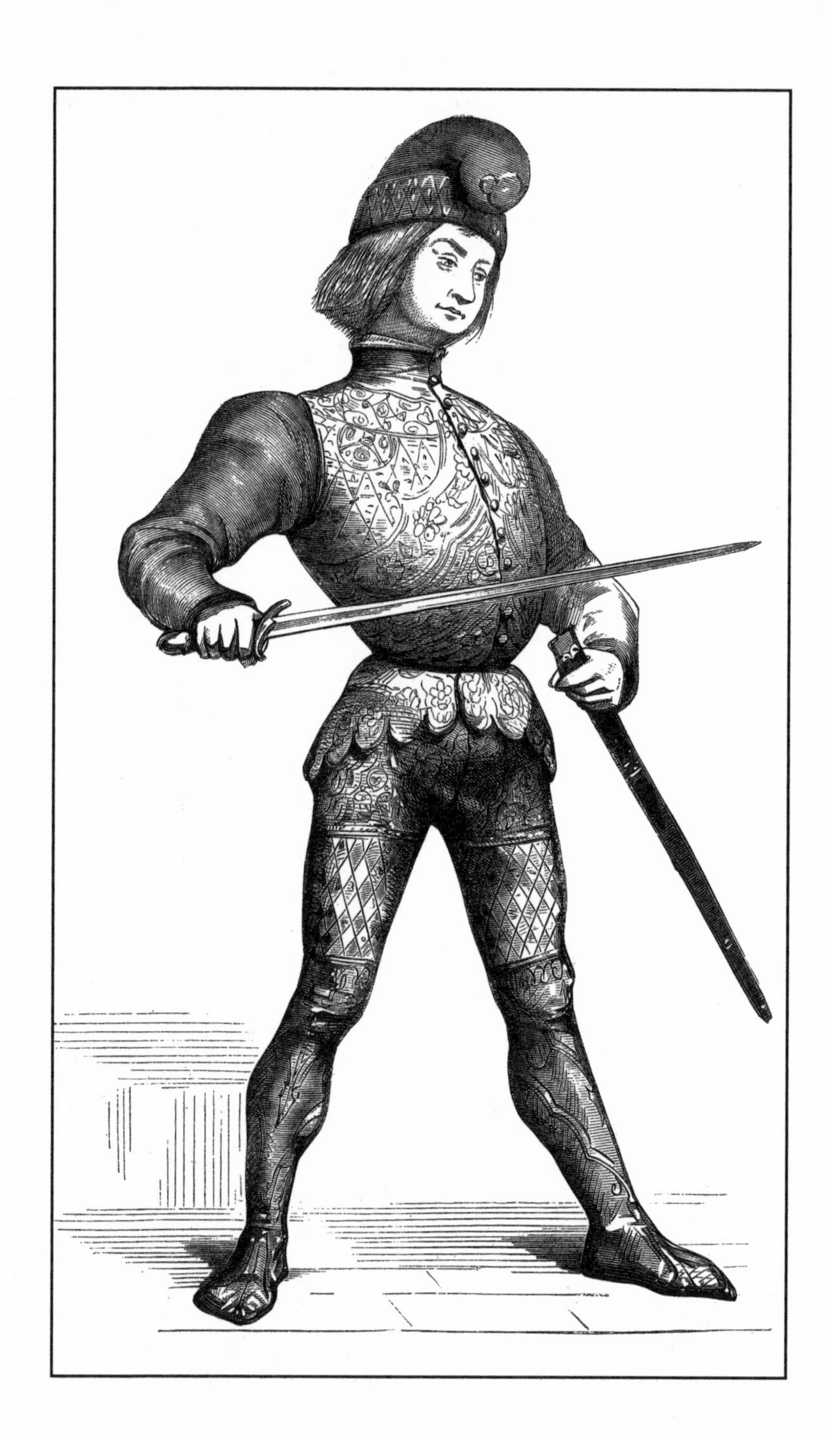

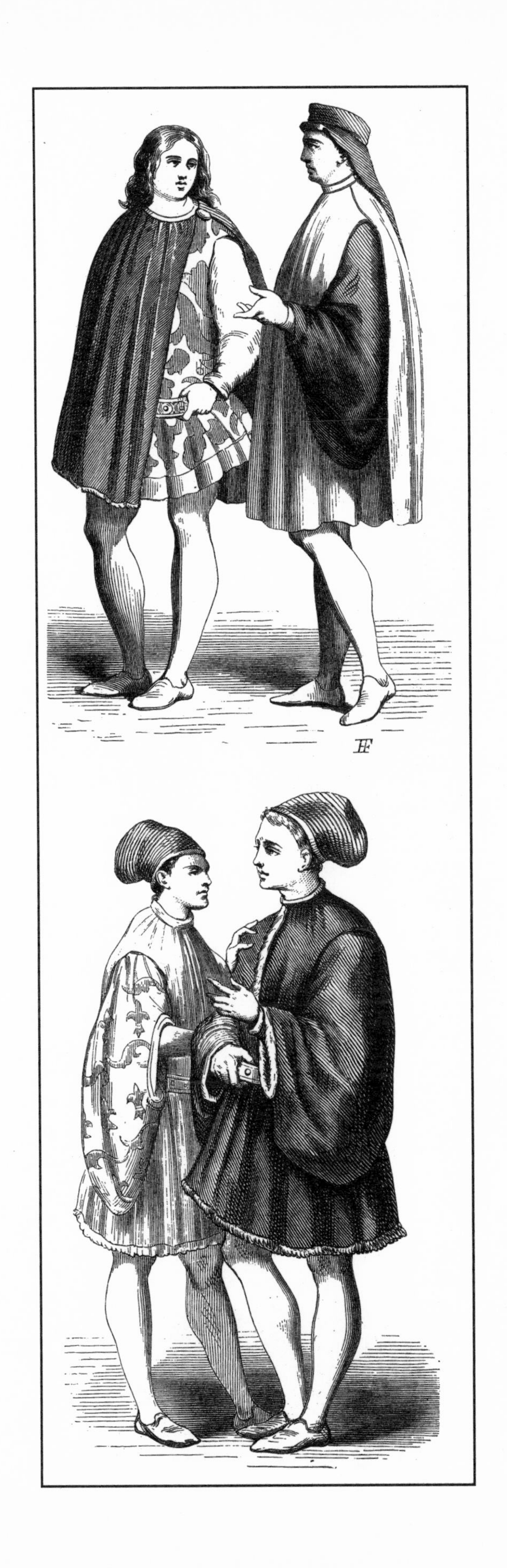

DIOLOT.

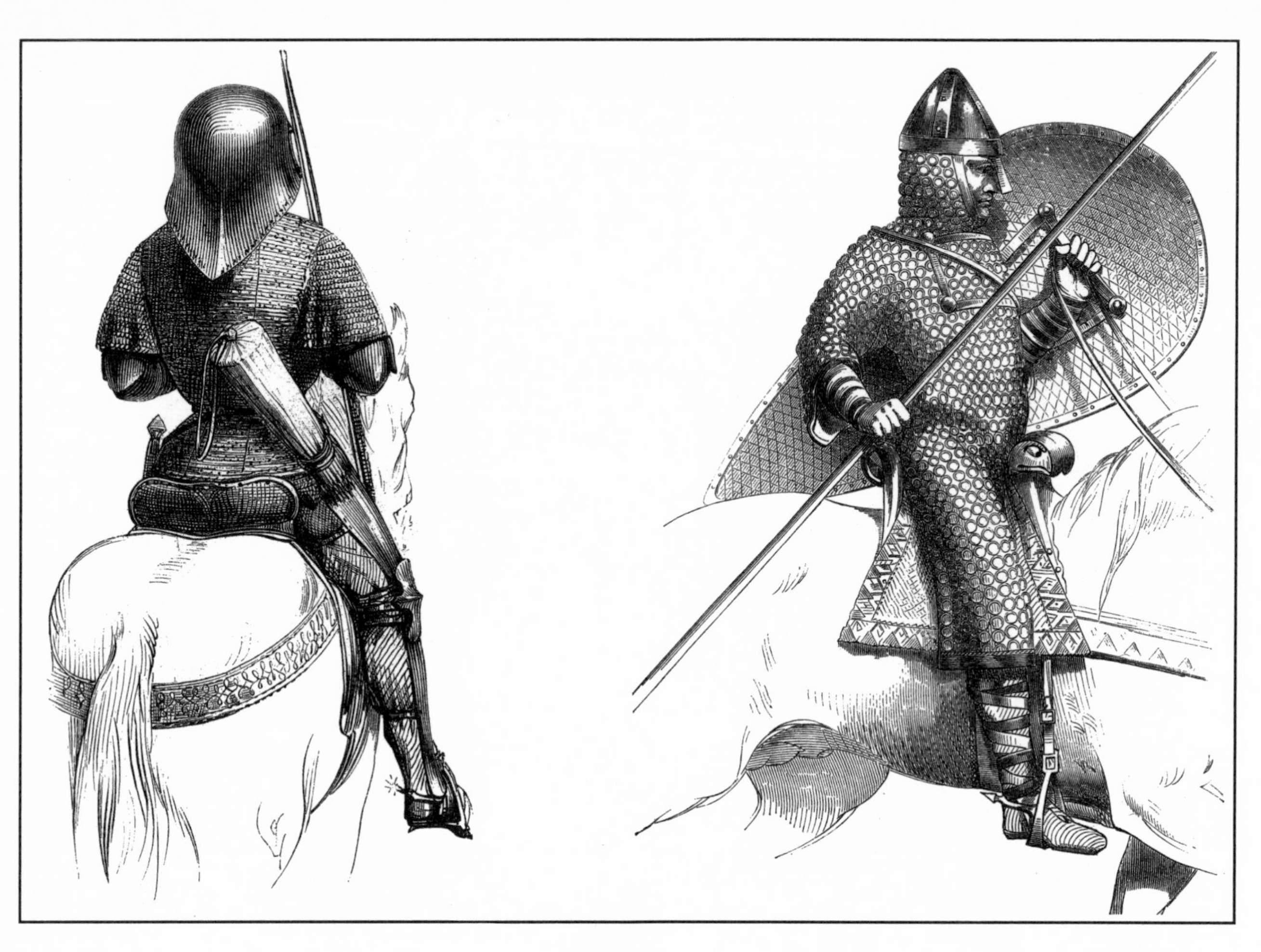

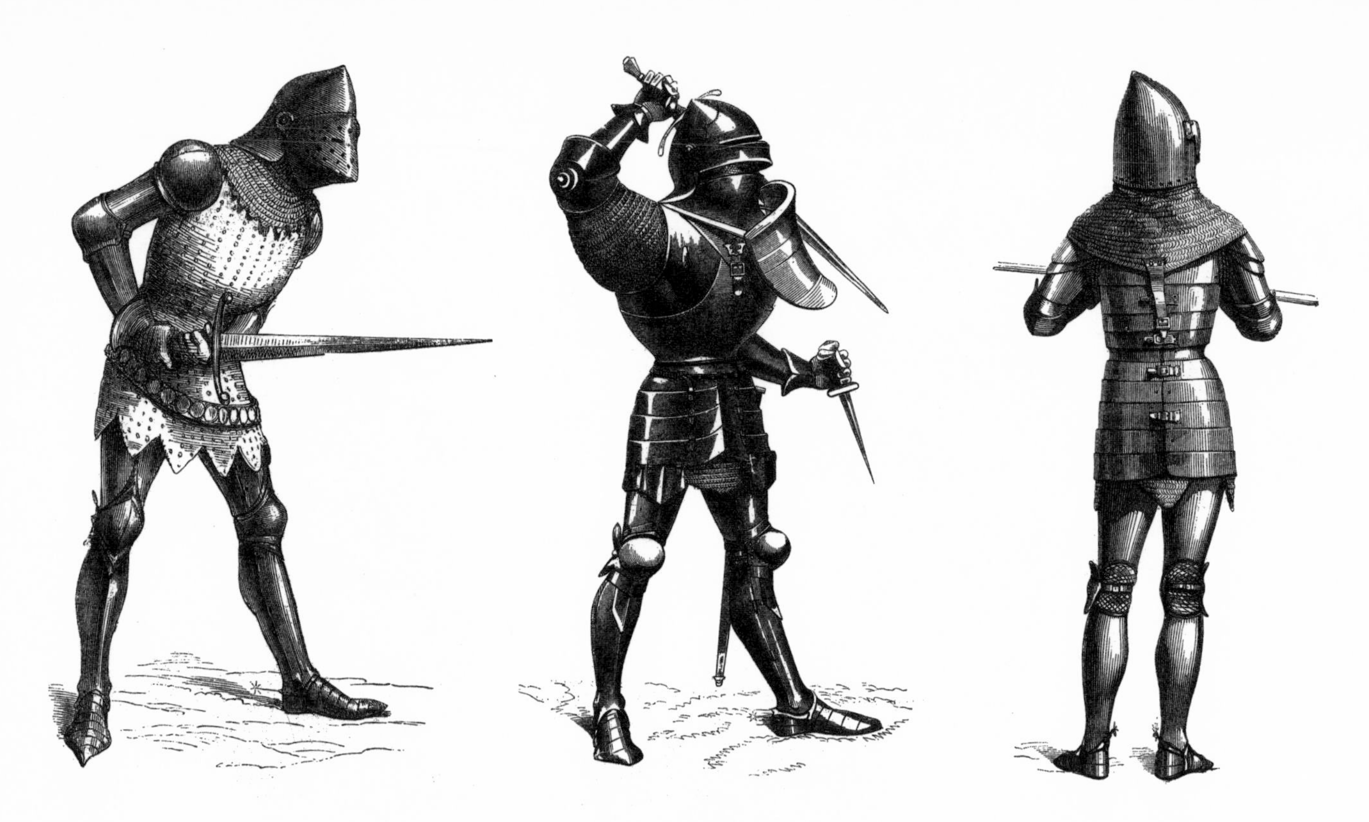

HEULARD

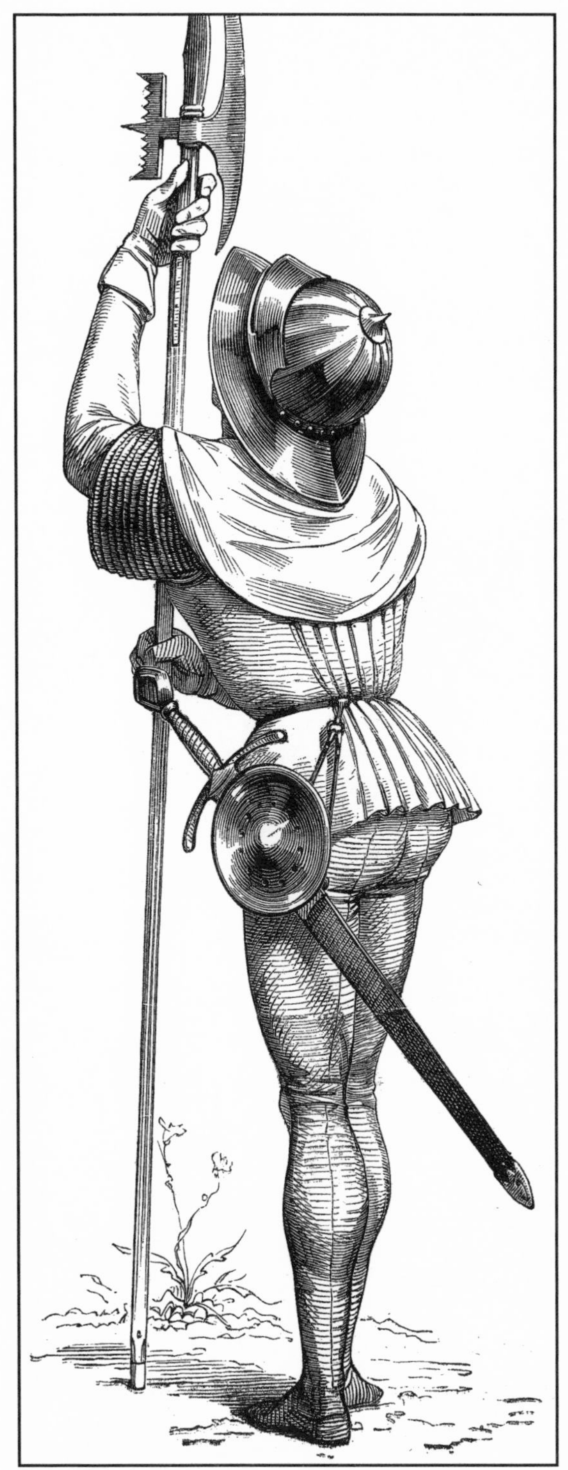

CORDIER

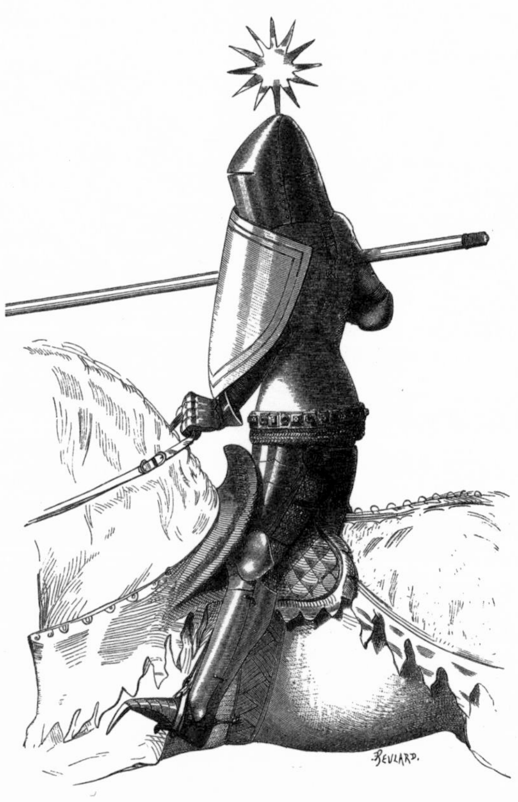

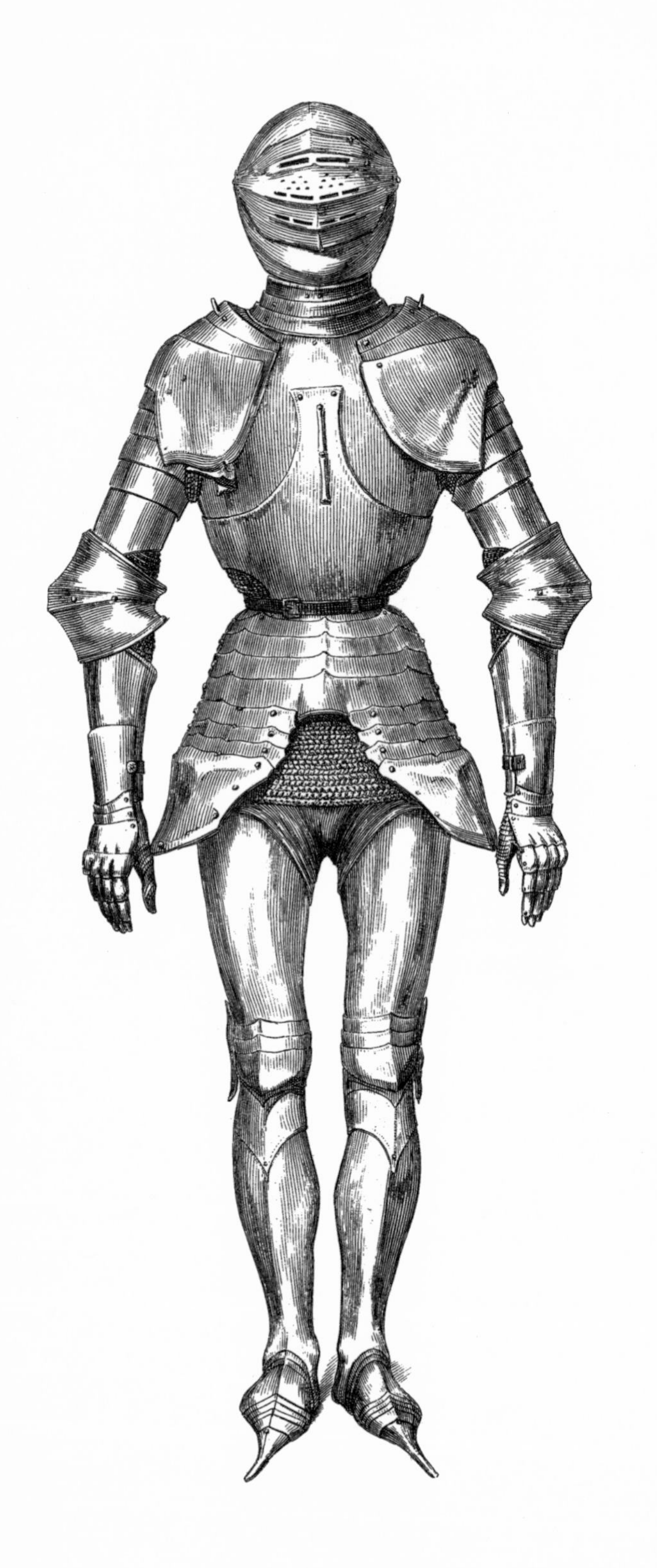

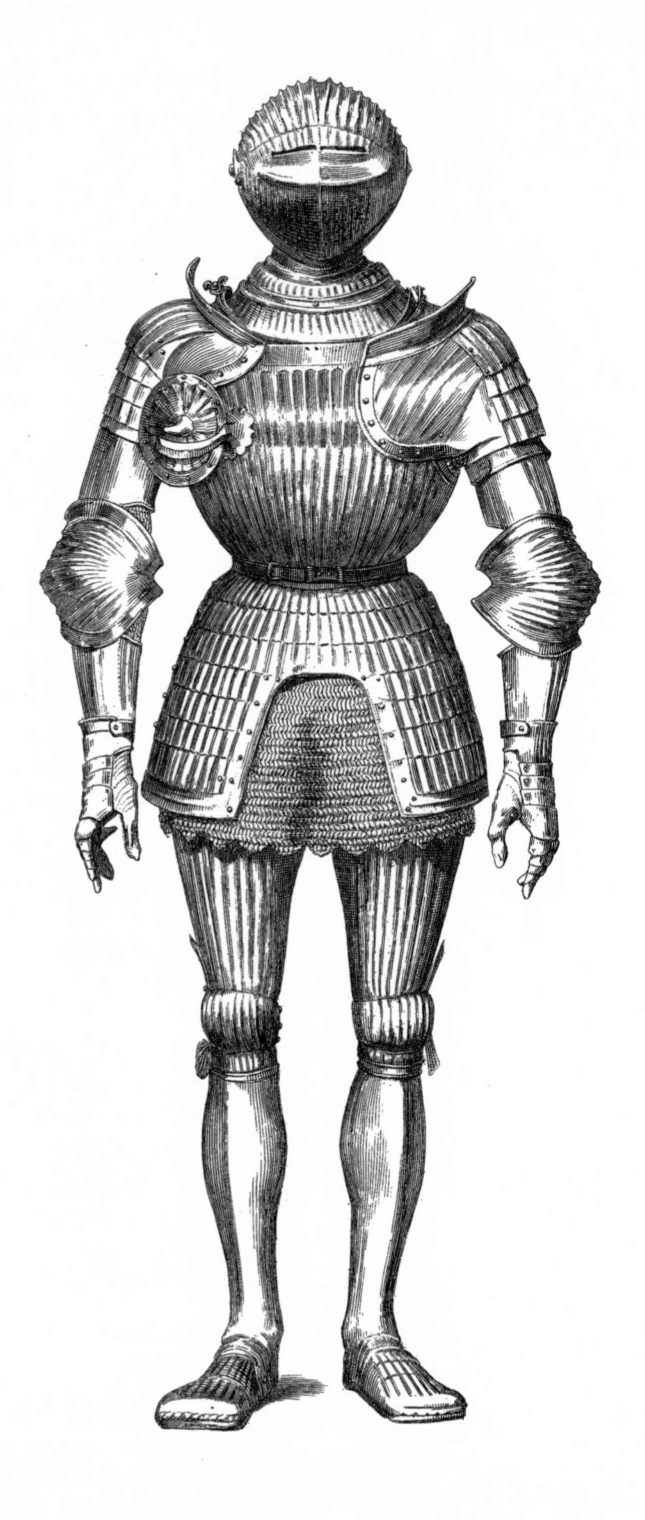

• New world •
• Nouveaux mondes •
• Neuzeit •
• Mondos nuevos •

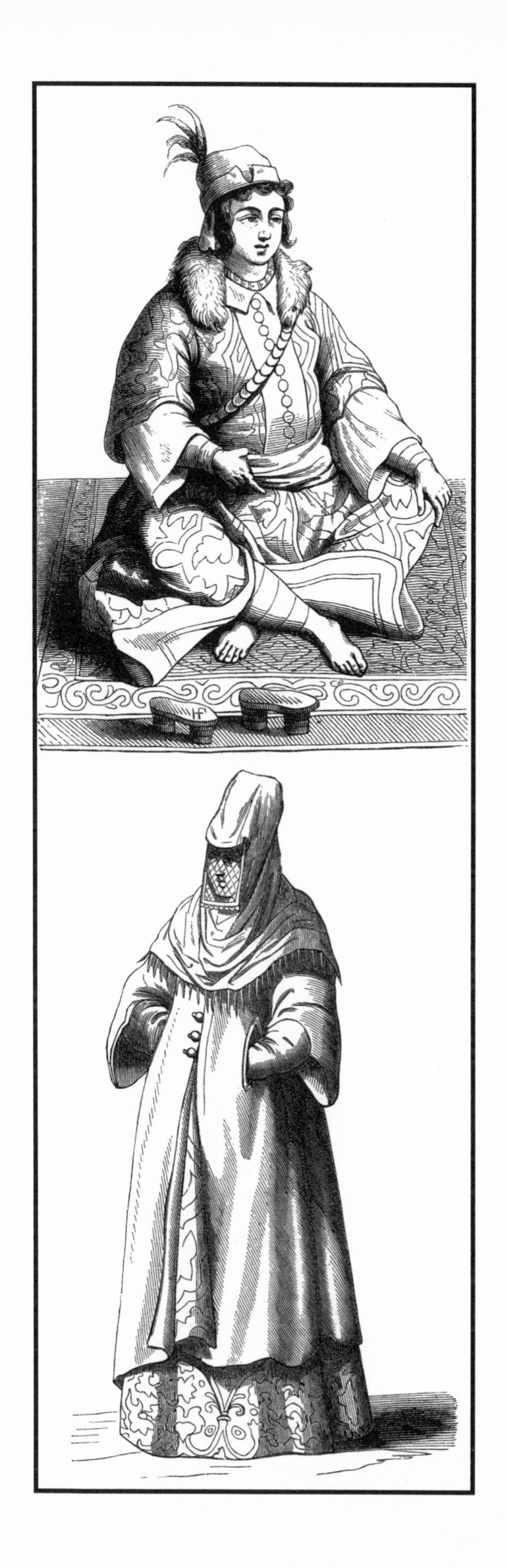

HF

• National costumes •
• Costumes nationaux •
• Nationaltrachten •
• Trajes nacionales •

HF

HF

• Renaissance •
• Renacimiento •

HF
HF

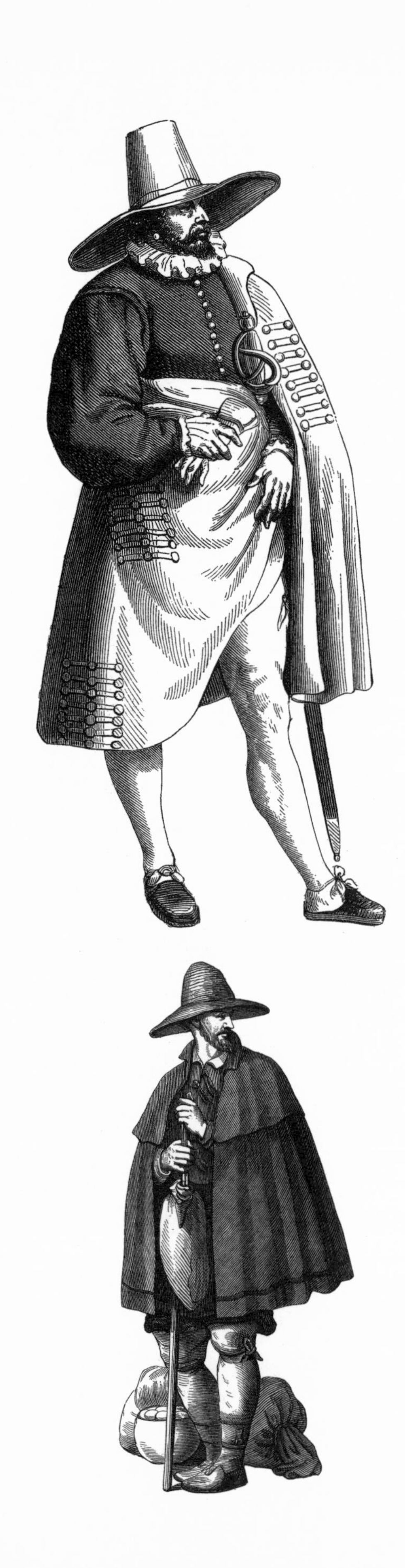

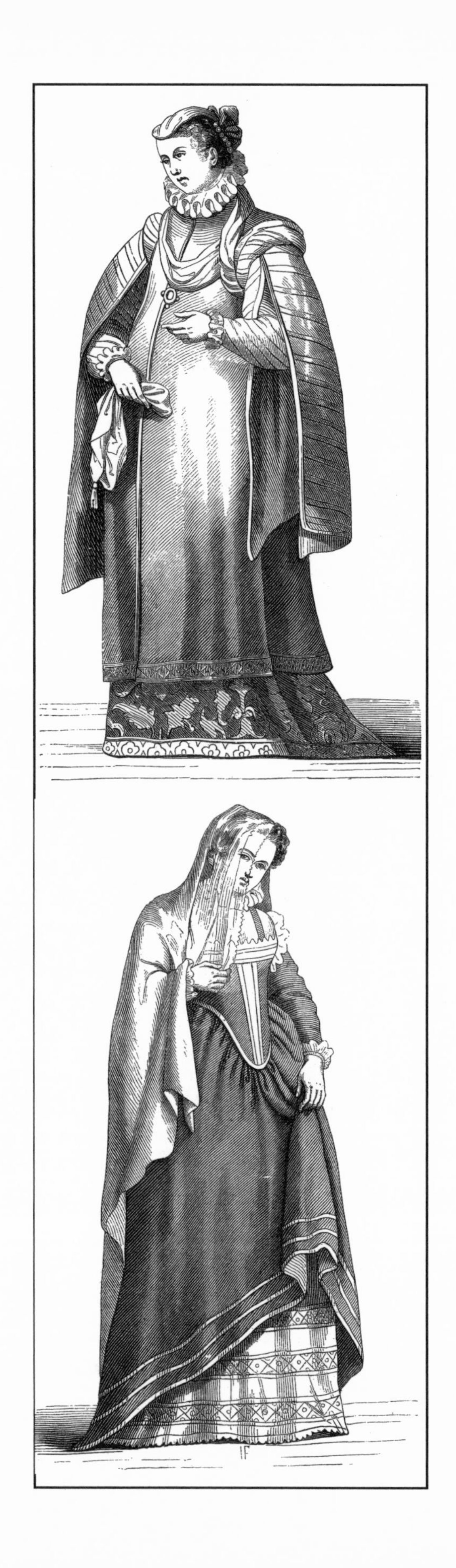

IK

• 17th and 18th centuries •

• XVIIe et XVIIIe siècles •

• 17. Jh. und 18. Jh. •

• Siglos XVII y XVIII •

Fr. H.

Fr. H.
Fr. H.

C. Reiber direx.
A. P. T.

E. Raiber direx.
.A.P.T.

AFT-
E. Reiber direxit
HK

E. Reiber direxit
APT

C·Reiber direx·
APT

Fr. H.

• 19th century •

• XIXe siècle •

• 19. Jahrhundert •

• Siglo XIX •

C. DELHOMME.

• 20th century •

• XXᵉ siècle •

• 20. Jahrhundert •

• Siglo XX •

Page 9. Plebeian. Cesare Vecellio, *Degli abiti antichi e moderni di diverse parti del mondo,* n.p., 1590.
Page 10. Roman slinger. Cesare Vecellio, *Degli abiti antichi e moderni di diverse parti del mondo,* n.p., 1590.
Page 11, top left. Roman. **Top right.** Consul. **Bottom left and center.** Tribunes. **Bottom right.** Armed soldier. Cesare Vecellio, *Degli abiti antichi e moderni di diverse parti del mondo,* n.p., 1590.
Page 12, left. Roman foot soldier. **Top right.** Roman horseman. **Bottom right.** Roman emperor. Cesare Vecellio, *Degli abiti antichi e moderni di diverse parti del mondo,* n.p., 1590.
Page 13, left. Vestal. **Right.** Roman woman. Cesare Vecellio, *Degli abiti antichi e moderni di diverse parti del mondo,* n.p., 1590.
Page 14, top left. Old fashioned costume of Roman soldiers. **Top right.** Roman color-bearer. **Bottom left.** Lictor. **Bottom right.** Plebeian. Cesare Vecellio, *Degli abiti antichi e moderni di diverse parti del mondo,* n.p., 1590.
Page 15. Roman foot soldier. Cesare Vecellio, *Degli abiti antichi e moderni di diverse parti del mondo,* n.p., 1590.
Pages 16 to 25. Neo-classical figures. Rudolph Ackermann, *Selection of ornaments in Forty Pages for the Use of Sculptors, Carvers, Modellers, Chasers, Embossers,* Londres, 1817.
Page 26. Venetian nobleman. Cesare Vecellio, *Degli abiti antichi e moderni di diverse parti del mondo,* n.p., 1590.
Page 27, left. Old fashioned costume of Venetian baron. **Top right.** Old fashioned costume «à la dogaline». **Bottom right.** Old fashioned costume of Venetian nobleman. Cesare Vecellio, *Degli abiti antichi e moderni di diverse parti del mondo,* n.p., 1590.
Page 28. Old fashioned costume of Roman women in use throughout Italy.. Cesare Vecellio, *Degli abiti antichi e moderni di diverse parti del mondo,* n.p., 1590.
Page 29, left. Noblewoman, 12th century. **Right.** Nobleman, 12th century. Viollet-le-Duc, *Dictionnaire raisonné du mobilier français,* Paris, 1873, tome 4.
Page 30, left. Armed Venetian knight. **Right.** Man at arms. Cesare Vecellio, *Degli abiti antichi e moderni di diverse parti del mondo,* n.p., 1590.
Page 31. Prince or doge of Venice. Cesare Vecellio, *Degli abiti antichi e moderni di diverse parti del mondo,* n.p., 1590.
Page 32, left. Knight. **Top right.** Doge of Venice. **Bottom right.** Augustinian monk. P. Mercurj and C. Bonnard, *Costumes des XIIIe, XIVe et XVe siècles,* Paris, 1845.
Page 33, top. Italian knight. **Bottom.** Podesta of Milan. P. Mercurj and C. Bonnard, *Costumes des XIIIe, XIVe et XVe siècles,* Paris, 1845.
Page 34. Venetian noblemen. P. Mercurj and C. Bonnard, *Costumes des XIIIe, XIVe et XVe siècles,* Paris, 1845.
Page 35, left. Warrior of Verona. **Top right.** Venetian nobleman. **Bottom right.** Venetian nobleman and child. P. Mercurj and C. Bonnard, *Costumes des XIIIe, XIVe et XVe siècles,* Paris, 1845.
Page 36, left. Valet. **Right.** French nobleman. P. Mercurj and C. Bonnard, *Costumes des XIIIe, XIVe et XVe siècles,* Paris, 1845.
Page 37, top. Dubbing of a knight. **Bottom left.** Woman of the people. **Bottom right.** Edward III of England. P. Mercurj and C. Bonnard, *Costumes des XIIIe, XIVe et XVe siècles,* Paris, 1845.
Page 38, left. Young Frenchman. **Top right.** Benedictine monk. **Bottom right.** Franciscan monk. P. Mercurj and C. Bonnard, *Costumes des XIIIe, XIVe et XVe siècles,* Paris, 1845.

Page 9. Plébéienne. Cesare Vecellio, *Degli abiti antichi e moderni di diverse parti del mondo,* s.l., 1590.
Page 10. Frondeur romain. Cesare Vecellio, *Degli abiti antichi e moderni di diverse parti del mondo,* s.l., 1590.
Page 11, en haut à gauche. Romain. **En haut à droite.** Consul. **En bas à gauche et au centre.** Tribuns. **En bas à droite.** Soldat armé. Cesare Vecellio, *Degli abiti antichi e moderni di diverse parti del mondo,* s.l., 1590.
Page 12, à gauche. Fantassin romain. **En haut à droite.** Cavalier romain. **En bas à droite.** Empereur romain. Cesare Vecellio, *Degli abiti antichi e moderni di diverse parti del mondo,* s.l., 1590.
Page 13, à gauche. Vestale. **À droite.** Dame romaine. Cesare Vecellio, *Degli abiti antichi e moderni di diverse parti del mondo,* s.l., 1590.
Page 14, en haut à gauche. Ancien costume de soldat romain. **En haut à droite.** Porte-enseigne romain. **En bas à gauche.** Licteur. **En bas à droite.** Plébéien. Cesare Vecellio, *Degli abiti antichi e moderni di diverse parti del mondo,* s.l., 1590.
Page 15. Fantassin romain. Cesare Vecellio, *Degli abiti antichi e moderni di diverse parti del mondo,* s.l., 1590.
Pages 16 à 25. Figures néoclassiques. Rudolph Ackermann, *Selection of ornaments in Forty Pages for the Use of Sculptors, Carvers, Modellers, Chasers, Embossers,* Londres, 1817.
Page 26. Noble vénitien. Cesare Vecellio, *Degli abiti antichi e moderni di diverse parti del mondo,* s.l., 1590.
Page 27, à gauche. Ancien costume de baron vénitien. **En haut à droite.** Costume ancien à la dogaline. **En bas à droite.** Ancien noble vénitien. Cesare Vecellio, *Degli abiti antichi e moderni di diverse parti del mondo,* s.l., 1590.
Page 28. Ancien costume de femme romaine en usage dans toute l'Italie. Cesare Vecellio, *Degli abiti antichi e moderni di diverse parti del mondo,* s.l., 1590.
Page 29, à gauche. Dame noble du XIIe siècle. **À droite.** Noble du XIIe siècle. Viollet-le-Duc, *Dictionnaire raisonné du mobilier français,* Paris, 1873, tome 4.
Page 30, à gauche. Chevalier vénitien armé. **À droite.** Homme d'arme. Cesare Vecellio, *Degli abiti antichi e moderni di diverse parti del mondo,* s.l., 1590.
Page 31. Prince ou doge de Venise. Cesare Vecellio, *Degli abiti antichi e moderni di diverse parti del mondo,* s.l., 1590.
Page 32, à gauche. Chevalier. **En haut à droite.** Doge de Venise. **En bas à droite.** Moine augustin. P. Mercurj et C. Bonnard, *Costumes des XIIIe, XIVe et XVe siècles,* Paris, 1845.
Page 33, en haut. Chevalier italien. **En bas.** Podestat de Milan. P. Mercurj et C. Bonnard, *Costumes des XIIIe, XIVe et XVe siècles,* Paris, 1845.
Page 34. Nobles vénitiennes. P. Mercurj et C. Bonnard, *Costumes des XIIIe, XIVe et XVe siècles,* Paris, 1845.
Page 35, à gauche. Guerrier de Vérone. **En haut à droite.** Noble vénitien. **En bas à droite**. Noble vénitienne et son enfant. P. Mercurj et C. Bonnard, *Costumes des XIIIe, XIVe et XVe siècles,* Paris, 1845.
Page 36, à gauche. Valet. **À droite.** Noble français. P. Mercurj und C. Bonnard, *Costumes des XIIIe, XIVe et XVe siècles,* Paris, 1845.
Page 37, en haut. Adoubement d'un chevalier. **En bas à gauche.** Femme du peuple. **En bas à droite.** Édouard III d'Angleterre. P. Mercurj et C. Bonnard, *Costumes des XIIIe, XIVe et XVe siècles,* Paris, 1845.
Page 38, à gauche. Jeune français. **En haut à droite.** Bénédictin. **En bas à doite.** Franciscain. P. Mercurj et C. Bonnard, *Costumes des XIIIe, XIVe et XVe siècles,* Paris, 1845.

Seite 9. Wasserträgerin. Cesare Vecellio, *Degli abiti antichi e moderni di diverse parti del mondo,* s.l., 1590.
Seite 10. Römischer Frondeur. Cesare Vecellio, *Degli abiti antichi e moderni di diverse parti del mondo,* s.l., 1590.
Seite 11, Oben links. Römisch. **Oben rechts.** Konsul. **Unten links und Mitte.** Gladiatoren. **Unten rechts.** Bewaffneter Soldat. Cesare Vecellio, *Degli abiti antichi e moderni di diverse parti del mondo,* s.l., 1590.
Seite 12, Links. Römischer Fußsoldat. **Oben rechts.** Römischer Edelmann. **Unten rechts.** Römischer Kaiser. Cesare Vecellio, *Degli abiti antichi e moderni di diverse parti del mondo,* s.l., 1590.
Seite 13, Links. Vestaline. **Rechts.** Römische Dame. Cesare Vecellio, *Degli abiti antichi e moderni di diverse parti del mondo,* s.l., 1590.
Seite 14, Oben links. Ehemaliges Kleidung römischer Soldaten. **Oben rechts.** Römische Speerträgerin. **Unten links.** Schildträger. **Unten rechts.** Wasserträgerin. Cesare Vecellio, *Degli abiti antichi e moderni di diverse parti del mondo,* s.l., 1590.
Seite 15. Römischer Fussoldat. Cesare Vecellio, *Degli abiti antichi e moderni di diverse parti del mondo,* s.l., 1590.
Seite 16 bis 25. Neoklassische Figuren. Rudolph Ackermann, Selection of ornaments in Forty Pages for the Use of Sculptors, Carvers, Modellers, Chasers, Embossers, London, 1817.
Seite 26. Venezianische Edeldame. Cesare Vecellio, *Degli abiti antichi e moderni di diverse parti del mondo,* s.l., 1590.
Seite 27, Links. Ehemalige Kleidung venezianischer Barone. **Oben rechts.** Ehemalige Kleidung «à la dogaline». **Unten rechts.** Ältere venezianische Edeldame. Cesare Vecellio, *Degli abiti antichi e moderni di diverse parti del mondo,* s.l., 1590.
Seite 28. Kleidungsstil römischer Frauen, der zu dieser Zeit in ganz Italien getragen wurde. Cesare Vecellio, *Degli abiti antichi e moderni di diverse parti del mondo,* s.l., 1590.
Seite 29, Links. Edeldame des 12. Jh. Rechts. Noble Personen im 12. Jh. Viollet-le-Duc, *Dictionnaire raisonné du mobilier français,* Paris, 1873, Band 4.
Seite 30, Links. Bewaffneter venezianischer Edelmann. **Rechts.** Krieger. Cesare Vecellio, *Degli abiti antichi e moderni di diverse parti del mondo,* s.l., 1590.
Seite 31. Prinz oder Doge von Venedig. Cesare Vecellio, *Degli abiti antichi e moderni di diverse parti del mondo,* s.l., 1590.
Seite 32, Links. Edelmann. **Oben rechts.** Doge von Venedig. **Unten rechts.** Augustinischer Mönch. P. Mercurj und C. Bonnard, *Costumes des XIIIe, XIVe et XVe siècles,* Paris, 1845.
Seite 33, Oben. Italienischer Edelmann. **Unten.** Podestat von Milano. P. Mercurj und C. Bonnard, *Costumes des XIIIe, XIVe et XVe siècles,* Paris, 1845.
Seite 34. Venezianische Edeldamen. P. Mercurj und C. Bonnard, *Costumes des XIIIe, XIVe et XVe siècles,* Paris, 1845.
Seite 35, Links. Veronischer Krieger. **Oben rechts.** Venezianische Edelmänner. **Unten rechts.** Venezianische Edeldame mit ihrem Kind. P. Mercurj und C. Bonnard, *Costumes des XIIIe, XIVe et XVe siècles,* Paris, 1845.
Seite 36, Links. Diener. **Rechts.** Französische Edelmänner. P. Mercurj und C. Bonnard, *Costumes des XIIIe, XIVe et XVe siècles,* Paris, 1845.
Seite 37, Oben. Ritterschlagung eines Edelmannes. **Unten links.** Frau der damaligen Zeit. **Unten rechts.** Édouard III von England. P. Mercurj und C. Bonnard, *Costumes des XIIIe, XIVe et XVe siècles,* Paris, 1845.
Seite 38, Links. Junge Französin. **Oben rechts.** Benediktinerinnen. **Unten rechts.** Franziskanerin. P. Mercurj und C. Bonnard, *Costumes des XIIIe, XIVe et XVe siècles,* Paris, 1845.

Página 9. Plebeya. Cesare Vecellio, *Degli abiti antichi e moderni di diverse parti del mondo,* s.l., 1590.
Página 10. Hondero romano. Cesare Vecellio, *Degli abiti antichi e moderni di diverse parti del mondo,* s.l., 1590.
Página 11, arriba a la izquierda. Romano. **Arriba a la derecha.** Cónsul. **Abajo a la izquierda y en el centro.** Tribunos. **Abajo a la derecha.** Soldado armado. Cesare Vecellio, *Degli abiti antichi e moderni di diverse parti del mondo,* s.l., 1590.
Página 12, a la izquierda. Infante romano. **Arriba a la derecha.** Jinete romano. **Abajo a la derecha.** Emperador romano. Cesare Vecellio, *Degli abiti antichi e moderni di diverse parti del mondo,* s.l., 1590.
Página 13, a la izquierda. Vestal. **A la derecha.** Señora romana. Cesare Vecellio, *Degli abiti antichi e moderni di diverse parti del mondo,* s.l., 1590.
Página 14, arriba a la izquierda. Traje antiguo de soldado romano. **Arriba a la derecha.** Abanderado romano. **Abajo a la izquierda.** Lictor. **Abajo a la derecha.** Plebeyo. Cesare Vecellio, *Degli abiti antichi e moderni di diverse parti del mondo,* s.l., 1590.
Página 15. Infante romano. Cesare Vecellio, *Degli abiti antichi e moderni di diverse parti del mondo,* s.l., 1590.
Páginas 16 à 25. Figuras neoclásicas. Rudolph Ackermann, *Selection of ornaments in Forty Pages for the Use of Sculptors, Carvers, Modellers, Chasers, Embossers,* Londres, 1817.
Página 26. Noble veneciano. Cesare Vecellio, *Degli abiti antichi e moderni di diverse parti del mondo,* s.l., 1590.
Página 27, a la izquierda. Traje antiguo de barón veneciano. **Arriba a la derecha.** Traje antiguo "a la dux". **Abajo a la derecha.** Noble veneciano antiguo. Cesare Vecellio, *Degli abiti antichi e moderni di diverse parti del mondo,* s.l., 1590.
Página 28. Traje antiguo de señora romana utilizado en Italia. Cesare Vecellio, *Degli abiti antichi e moderni di diverse parti del mondo,* s.l., 1590.
Página 29, a la izquierda. Señora noble del siglo XII. **A la derecha.** Noble del siglo XII. Viollet-le-Duc, *Dictionnaire raisonné du mobilier français,* París, 1873, tomo 4.
Página 30, a la izquierda. Caballero veneciano armado. **A la derecha.** Hombre armado. Cesare Vecellio, *Degli abiti antichi e moderni di diverse parti del mondo,* s.l., 1590.
Página 31. Príncipe o dux de Venecia. Cesare Vecellio, *Degli abiti antichi e moderni di diverse parti del mondo,* s.l., 1590.
Página 32, a la izquierda. Caballero. **Arriba a la derecha.** Dux de Venecia. **Abajo a la derecha.** Monje agustino. P. Mercurj y C. Bonnard, *Costumes des XIIIe, XIVe et XVe siècles,* París, 1845.
Página 33, arriba. Caballero italiano. **Abajo.** Podestá de Milano. P. Mercurj y C. Bonnard, *Costumes des XIIIe, XIVe et XVe siècles,* París, 1845.
Página 34. Nobles venecianas. P. Mercurj y C. Bonnard, *Costumes des XIIIe, XIVe et XVe siècles,* París, 1845.
Página 35, a la izquierda. Guerrero de Verona. **Arriba a la derecha.** Noble veneciano. **Abajo a la derecha.** Noble veneciana y su niño. P. Mercurj y C. Bonnard, *Costumes des XIIIe, XIVe et XVe siècles,* París, 1845.
Página 36, a la izquierda. Criado. **A la derecha.** Noble francés. P. Mercurj y C. Bonnard, *Costumes des XIIIe, XIVe et XVe siècles,* París, 1845.
Página 37, arriba. Armadura de un caballero. **Abajo a la izquierda.** Mujer del pueblo. **Abajo a la derecha.** Eduardo III de Inglaterra. P. Mercurj y C. Bonnard, *Costumes des XIIIe, XIVe et XVe siècles,* París, 1845.
Página 38, a la izquierda. Francés joven. **Arriba a la derecha.** Benedictino. **Abajo a la derecha.** Franciscano. P. Mercurj y C. Bonnard, *Costumes des XIIIe, XIVe et XVe siècles,* París, 1845.

Page 39, left. Young French girl. **Right.** Young Italian. **Center.** Young Italian. P. Mercurj and C. Bonnard, *Costumes des XIIIe, XIVe et XVe siècles,* Paris, 1845.
Page 40. Young Florentine. P. Mercurj and C. Bonnard, *Costumes des XIIIe, XIVe et XVe siècles,* Paris, 1845.
Page 41, left. Florentine noblewoman. **Right.** Milanese nobleman. P. Mercurj and C. Bonnard, *Costumes des XIIIe, XIVe et XVe siècles,* Paris, 1845.
Page 42, left. Mourner. **Right.** Milanese noblewoman. P. Mercurj and C. Bonnard, *Costumes des XIIIe, XIVe et XVe siècles,* Paris, 1845.
Page 43, top left. Italian nobleman. **Top right.** Young Italian. **Bottom left.** Milanese nobleman. **Bottom right.** Milanese noblewoman. P. Mercurj and C. Bonnard, *Costumes des XIIIe, XIVe et XVe siècles,* Paris, 1845.
Page 44, top. Young Italian. **left.** Italian nobleman. **Right.** Italian warrior. P. Mercurj and C. Bonnard, *Costumes des XIIIe, XIVe et XVe siècles,* Paris, 1845.
Page 45. Bernabo Visconti. P. Mercurj and C. Bonnard, *Costumes des XIIIe, XIVe et XVe siècles,* Paris, 1845.
Page 46, top left. Italian archer. **Top right.** Italian prince. **Bottom left.** Venetian general. **Bottom right.** Italian noblewoman. P. Mercurj and C. Bonnard, *Costumes des XIIIe, XIVe et XVe siècles,* Paris, 1845.
Page 47, au centre. Young Italian girls. **left.** Italian noblewoman. **Right.** Italian prince. P. Mercurj and C. Bonnard, *Costumes des XIIIe, XIVe et XVe siècles,* siècles, Paris, 1845.
Page 48, left. Doge of Venice. **Right.** Tennis player.P. Mercurj and C. Bonnard, *Costumes des XIIIe, XIVe et XVe siècles,* Paris, 1845.
Page 49, top. Young Venetian of the Calza. **Bottom.** Prince Mastino II. P. Mercurj and C. Bonnard, *Costumes des XIIIe, XIVe et XVe siècles,* Paris, 1845.
Page 50. Old fashioned costume of an single young girl. Cesare Vecellio, *Degli abiti antichi e moderni di divese parti del mondo,* n.p., 1590.
Page 51, top left. Old fashioned costume "à la dogaline". **Bottom left.** Old fashioned costume of Neapolitan women. **Right.** Costume of Roman noblewoman. Cesare Vecellio, *Degli abiti antichi e moderni di diverse parti del mondo,* n.p., 1590.
Page 52, left. Rich bourgeois, 14th century. **Right.** Gentleman, 14th century. Viollet-le-Duc, *Dictionnaire raisonné du mobilier français,* Paris, 1873, tome 4.
Page 53, left. Men, 15th century. **Right.** Knight, 15th century.
Page 54, top. Order of the tonsure. **Bottom.** A tournament challenge. P. Mercurj and C. Bonnard, *Costumes des XIIIe, XIVe et XVe siècles,* Paris, 1845.
Page 55. Judges and clerics. P. Mercurj and C. Bonnard, *Costumes des XIIIe, XIVe et XVe siècles,* Paris, 1845.
Page 56, top left. Italian foot soldier. **Bottom left.** Italian soldier. **Right.** Young Venetian. P. Mercurj and C. Bonnard, *Costumes des XIIIe, XIVe et XVe siècles,* Paris, 1845.
Page 57, top. Knights in a tournament. **Bottom.** Military costume. P. Mercurj and C. Bonnard, *Costumes des XIIIe, XIVe et XVe siècles,* Paris, 1845.
Page 58, top. Florentine noblemen. **Bottom left.** Messenger. **Bottom right.** Provençal nobleman. P. Mercurj and C. Bonnard, *Costumes des XIIIe, XIVe et XVe siècles,* Paris, 1845.
Page 59. French noblewoman. P. Mercurj and C. Bonnard, *Costumes des XIIIe, XIVe et XVe siècles,*Paris, 1845.

Page 39, à gauche. Jeune française. **À droite.** Jeune italien. **Au centre.** Jeune italienne. P. Mercurj et C. Bonnard, *Costumes des XIIIe, XIVe et XVe siècles,* Paris, 1845.
Page 40. Jeune florentin. P. Mercurj et C. Bonnard, *Costumes des XIIIe, XIVe et XVe siècles,* Paris, 1845.
Page 41, à gauche. Noble florentine. **À droite.** Noble milanais. P. Mercurj et C. Bonnard, *Costumes des XIIIe, XIVe et XVe siècles,* Paris, 1845.
Page 42, à gauche. Pleureur. **À droite.** Noble milanaise. P. Mercurj et C. Bonnard, *Costumes des XIIIe, XIVe et XVe siècles,* Paris, 1845.
Page 43, en haut à gauche. Noble italien. **En haut à droite.** Jeune italien. **En bas à gauche.** Noble milanais. **En bas à droite.** Noble milanaise. P. Mercurj et C. Bonnard, *Costumes des XIIIe, XIVe et XVe siècles,* Paris, 1845.
Page 44, en haut. Jeune italien. **À gauche.** Noble italien. **À droite.** Guerrier italien. P. Mercurj et C. Bonnard, *Costumes des XIIIe, XIVe et XVe siècles,* Paris, 1845.
Page 45. Bernabo Visconti. P. Mercurj et C. Bonnard, *Costumes des XIIIe, XIVe et XVe siècles,* Paris, 1845.
Page 46, en haut à gauche. Archer italien. **En haut à droite.** Prince italien. **En bas à gauche.** Général vénitien. **En bas à droite.** Noble italienne. P. Mercurj et C. Bonnard, *Costumes des XIIIe, XIVe et XVe siècles,* Paris, 1845.
Page 47, au centre. Jeunes italiennes. **À gauche.** Noble italienne. **À droite.** Prince italien. P. Mercurj et C. Bonnard, *Costumes des XIIIe, XIVe et XVe siècles,* siècles, Paris, 1845.
Page 48, à gauche. Doge de Venise. **À droite.** Joueuse de jeu de Paume. P. Mercurj et C. Bonnard, *Costumes des XIIIe, XIVe et XVe siècles,* Paris, 1845.
Page 49, en haut. Jeune vénitien de la Calza. **En bas.** Le prince Mastino II. P. Mercurj et C. Bonnard, *Costumes des XIIIe, XIVe et XVe siècles,* Paris, 1845.
Page 50. Costume ancien de jeune fille à marier. Cesare Vecellio, *Degli abiti antichi e moderni di divese parti del mondo,* s.l., 1590.
Page 51, en haut à gauche. Costume ancien à la dogaline. **En bas à gauche.** Costume ancien de femme napolitaine. **À droite.** Costume de noble dame romaine. Cesare Vecellio, *Degli abiti antichi e moderni di diverse parti del mondo,* s.l., 1590.
Page 52, à gauche. Vêtement de riche bourgeois, XIVe siècle. **À droite.** Gentilhomme, XIVe siècle. Viollet-le-Duc, *Dictionnaire raisonné du mobilier français,* Paris, 1873, tome 4.
Page 53, à gauche. Hommes, XVe siècle. **À droite.** Cavalier, XVe siècle.
Page 54, en haut. L'ordre de la tonsure. **En bas.** Défi de tournoi. P. Mercurj et C. Bonnard, *Costumes des XIIIe, XIVe et XVe siècles,* Paris, 1845.
Page 55. Juges et clercs. P. Mercurj et C. Bonnard, *Costumes des XIIIe, XIVe et XVe siècles,* Paris, 1845.
Page 56, en haut à gauche. Fantassin italien. **En bas à gauche.** Soldat italien. **À droite.** Jeune vénitien. P. Mercurj et C. Bonnard, *Costumes des XIIIe, XIVe et XVe siècles,* Paris, 1845.
Page 57, en haut. Chevaliers au tournoi. **En bas.** Costume militaire. P. Mercurj et C. Bonnard, *Costumes des XIIIe, XIVe et XVe siècles,* Paris, 1845.
Page 58, en haut. Nobles florentins. **En bas à gauche.** Messager. **En bas à droite.** Noble provençal. P. Mercurj et C. Bonnard, *Costumes des XIIIe, XIVe et XVe siècles,* Paris, 1845.
Page 59. Noble française. P. Mercurj et C. Bonnard, *Costumes des XIIIe, XIVe et XVe siècles,*Paris, 1845.

Seite 39, Links. Junge Französin. **Rechts.** Junge Italiener. **Mitte.** Junge Italienerin. P. Mercurj und C. Bonnard, *Costumes des XIIIe, XIVe et XVe siècles,* Paris, 1845.
Seite 40. Junge Florentinerin. P. Mercurj und C. Bonnard, *Costumes des XIIIe, XIVe et XVe siècles,* Paris, 1845.
Seite 41, Links. Florentinische Edeldame. **Rechts.** Noble Milanerin. P. Mercurj und C. Bonnard, *Costumes des XIIIe, XIVe et XVe siècles,* Paris, 1845.
Seite 42, Links. Weinende. **Rechts.** Noble Milanerin. P. Mercurj und C. Bonnard, *Costumes des XIIIe, XIVe et XVe siècles,* Paris, 1845.
Seite 43, Oben links. Italienischer Edelmann. **Oben rechts.** Junger Italiener. **Unten links.** Milanischer Edelmann. **Unten rechts.** Milanischer Edelmann. P. Mercurj und C. Bonnard, *Costumes des XIIIe, XIVe et XVe siècles,* Paris, 1845.
Seite 44, Oben. Junger Italiener. **Links.** Italienischer Edelmann. **Rechts.** Italienischer Krieger. P. Mercurj und C. Bonnard, *Costumes des XIIIe, XIVe et XVe siècles,* Paris, 1845.
Seite 45. Bernabo Visconti. P. Mercurj und C. Bonnard, *Costumes des XIIIe, XIVe et XVe siècles,* Paris, 1845.
Seite 46, Oben links. Italienischer Bogenschütze. **Oben rechts.** Italienischer Prinz. **Unten links.** Venezianischer General. **Unten rechts.** Italienische Edeldame. P. Mercurj und C. Bonnard, *Costumes des XIIIe, XIVe et XVe siècles,* Paris, 1845.
Seite 47, Mitte. Junge Italienerinnen. **Links.** Italienische Edeldame. **Rechts.** Italienischer Prinz. P. Mercurj und C. Bonnard, *Costumes des XIIIe, XIVe et XVe siècles,* siècles, Paris, 1845.
Seite 48, Links. Doge von Venedig. **Oben rechts.** Spielende. **Unten rechts.** Doktor der Rechtswissenschaften. P. Mercurj und C. Bonnard, *Costumes des XIIIe, XIVe et XVe siècles,* Paris, 1845.
Seite 49, Oben. Junge Venezianer in der Gondel. Unten. Prinz Mastino II. P. Mercurj und C. Bonnard, *Costumes des XIIIe, XIVe et XVe siècles,* Paris, 1845.
Seite 50. Hochzeitskleid eines jungen Mädchens. Cesare Vecellio, *Degli abiti antichi e moderni di divese parti del mondo,* s.l., 1590.
Seite 51, Oben links. Kleidung "à la dogaline". **Unten links.** Kleidung der neapolitanischen Frauen. **Rechts.** Kleidung römischer Edeldamen. Cesare Vecellio, *Degli abiti antichi e moderni di diverse parti del mondo,* s.l., 1590.
Seite 52, Links. Kleidung der reichen Bourgeoisie des 14. Jh. **Rechts.** Edelmann des 14. Jh. Viollet-le-Duc, *Dictionnaire raisonné du mobilier français,* Paris, 1873, Band 4.
Seite 53, Links. Männer des 15. Jh. **Rechts.** Kavalier des 15. Jh.
Seite 54, Oben. Der Tonsure Orden. **Unten.** Herausforderung zum Turnierkampf. P. Mercurj und C. Bonnard, *Costumes des XIIIe, XIVe et XVe siècles,* Paris, 1845.
Seite 55. Richter und Rechtsgehilfen. P. Mercurj und C. Bonnard, *Costumes des XIIIe, XIVe et XVe siècles,* Paris, 1845.
Seite 56, Oben links. Italienischer Speerwerfer. **Unten links.** Italienischer Soldat. **Rechts.** Junge Venezianer. P. Mercurj und C. Bonnard, *Costumes des XIIIe, XIVe et XVe siècles,* Paris, 1845.
Seite 57, Oben. Reiter beim Turnierkampf. Unten. Militärische Kleidung. P. Mercurj und C. Bonnard, *Costumes des XIIIe, XIVe et XVe siècles,* Paris, 1845.
Seite 58, Oben. Florentinische Edeldame. **Unten links.** Bote. **Unten rechts.** Edeldame aus der Provence. P. Mercurj und C. Bonnard, *Costumes des XIIIe, XIVe et XVe siècles,* Paris, 1845.
Seite 59. Französische Edeldame. P. Mercurj und C. Bonnard, *Costumes des XIIIe, XIVe et XVe siècles,* Paris, 1845.

Página 39, a la izquierda. Francesa joven. **A la derecha.** Italiano joven. **En el centro.** Italiana joven. P. Mercurj y C. Bonnard, *Costumes des XIIIe, XIVe et XVe siècles,* París, 1845.
Página 40. Florentino joven. P. Mercurj y C. Bonnard, *Costumes des XIIIe, XIVe et XVe siècles,* París, 1845.
Página 41, a la izquierda. Florentina noble. **A la derecha.** Noble milanés. P. Mercurj y C. Bonnard, *Costumes des XIIIe, XIVe et XVe siècles,* París, 1845.
Página 42, a la izquierda. Llorón. **A la derecha.** Noble milanesa. P. Mercurj y C. Bonnard, *Costumes des XIIIe, XIVe et XVe siècles,* París, 1845.
Página 43, arriba a la izquierda. Noble italiano. **Arriba a la derecha.** Joven italiano. **Abajo a la izquierda.** Noble milanés. **Abajo a la derecha.** Noble milanesa. P. Mercurj y C. Bonnard, *Costumes des XIIIe, XIVe et XVe siècles,* París, 1845.
Página 44, arriba. Joven italiano. **A la izquierda.** Noble italiano. **A la derecha.** Guerrero italiano. P. Mercurj y C. Bonnard, *Costumes des XIIIe, XIVe et XVe siècles,* París, 1845.
Página 45. Bernabo Visconti. P. Mercurj y C. Bonnard, *Costumes des XIIIe, XIVe et XVe siècles,* París, 1845.
Página 46, arriba a la izquierda. Arquero italiano. **Arriba a la derecha.** Príncipe italiano. **Abajo a la izquierda.** General veneciano. **Abajo a la derecha.** Noble italiana. P. Mercurj y C. Bonnard, *Costumes des XIIIe, XIVe et XVe siècles,* París, 1845.
Página 47, en el centro. Jóvenes italianas. **A la izquierda.** Noble italiana. **A la derecha.** Príncipe italiano. P. Mercurj y C. Bonnard, *Costumes des XIIIe, XIVe et XVe siècles,* siècles, París, 1845.
Página 48, a la izquierda. Dux de Venecia. **A la derecha.** Jugadora de pelota. P. Mercurj y C. Bonnard, *Costumes des XIIIe, XIVe et XVe siècles,* París, 1845.
Página 49, arriba. Joven veneciano de la Calza. **Abajo.** El príncipe Mastino II. P. Mercurj y C. Bonnard, *Costumes des XIIIe, XIVe et XVe siècles,* París, 1845.
Página 50. Traje antiguo para casadera. Cesare Vecellio, *Degli abiti antichi e moderni di diverse parti del mondo,* s.l., 1590.
Página 51, arriba a la izquierda. Traje antiguo "a la dux". **Abajo a la izquierda.** Traje antiguo de napolitana. **A la derecha.** Traje de una señora romana noble. Cesare Vecellio, *Degli abiti antichi e moderni di diverse parti del mondo,* s.l., 1590.
Página 52, a la izquierda. Traje para un burgués rico del siglo XIV. **A la derecha.** Señor del siglo XIV. Viollet-le-Duc, *Dictionnaire raisonné du mobilier francés,* París, 1873, tomo 4.
Página 53, a la izquierda. Hombres del siglo XV. **A la derecha.** Jinete del siglo XV.
Página 54, arriba. Monjes de la tonsura. **Abajo.** Reto de torneo. P. Mercurj y C. Bonnard, *Costumes des XIIIe, XIVe et XVe siècles,* París, 1845.
Página 55. Magistrados. P. Mercurj y C. Bonnard, *Costumes des XIIIe, XIVe et XVe siècles,* París, 1845.
Página 56, arriba a la izquierda. Infante italiano. **Abajo a la izquierda.** Soldado italiano. **A la derecha.** Joven veneciano. P. Mercurj y C. Bonnard, *Costumes des XIIIe, XIVe et XVe siècles,* París, 1845.
Página 57, arriba. Caballeros en un torneo. **Abajo.** Traje militar. P. Mercurj y C. Bonnard, *Costumes des XIIIe, XIVe et XVe siècles,* París, 1845.
Página 58, arriba. Nobles florentinos. **Abajo a la izquierda.** Mensajeros. **Abajo a la derecha.** Noble provenzal. P. Mercurj y C. Bonnard, *Costumes des XIIIe, XIVe et XVe siècles,* París, 1845.
Página 59. Noble francesa. P. Mercurj y C. Bonnard, *Costumes des XIIIe, XIVe et XVe siècles,*París, 1845.

Page 60, top left. Young Frenchman. **Top right.** Young Milanese. **Bottom.** Tournament judges. P. Mercurj and C. Bonnard, *Costumes des XIIIe, XIVe et XVe siècles,* Paris, 1845.
Page 61, left. French noblewoman. **Top right.** Milanese noblewoman. **Bottom right.** Béatrix d'Est. P. Mercurj and C. Bonnard, *Costumes des XIIIe, XIVe et XVe siècles,* Paris, 1845.
Page 62, top left. Young Italian. **Top right.** Traveling costume. **Bottom left.** German nobleman. **Bottom right.** Young Italian. P. Mercurj and C. Bonnard, *Costumes des XIIIe, XIVe et XVe siècles,* Paris, 1845.
Page 63, top. Milanese noblewoman. **Bottom.** Italian contessa. P. Mercurj and C. Bonnard, *Costumes des XIIIe, XIVe et XVe siècles,* Paris, 1845.
Page 64. Queen of Cyprus and Venetian women. P. Mercurj and C. Bonnard, *Costumes des XIIIe, XIVe et XVe siècles,* Paris, 1845.
Page 65, left. Military costume. **Right.** Milanese nobleman. P. Mercurj and C. Bonnard, *Costumes des XIIIe, XIVe et XVe siècles,* Paris, 1845.
Page 66, top left. English criminal judge. **Top right and bottom left.** Venetian senators. **Bottom right.** Venetian merchant. P. Mercurj and C. Bonnard, *Costumes des XIIIe, XIVe et XVe siècles,* Paris, 1845.
Page 67, left. German nobleman. **Top right.** Venetian gentleman of the Calza. **Bottom right.** Young Venetian of the Calza. P. Mercurj and C. Bonnard, *Costumes des XIIIe, XIVe et XVe siècles,* Paris, 1845.
Page 68, left. Duke of Nemours. **Right.** Military costume. **Center.** Young Milanese girl. P. Mercurj and C. Bonnard, *Costumes des XIIIe, XIVe et XVe siècles,* Paris, 1845.
Page 69. Gentlemen, 15th century. Viollet-le-Duc, *Dictionnaire raisonné du mobilier français,* Paris, 1873, tome 4.
Page 70. Noblewomen, 15th century. Viollet-le-Duc, *Dictionnaire raisonné du mobilier français,* Paris, 1873, tome 4.
Page 71. Member of the Calza, 15th century. Viollet-le-Duc, *Dictionnaire raisonné du mobilier français,* Paris, 1873, tome 4.
Page 72, left. Ceremonial gown of a noblewoman, 15th century. **Right.** Knight's sponsor, 15th century. Viollet-le-Duc, *Dictionnaire raisonné du mobilier français,* Paris, 1873, tome 4.
Page 73, au centre. Duke of Bourbon, 15th century. **left.** Gentleman in a doublet, 15th century. **Right.** Gentleman, 15th century. Viollet-le-Duc, *Dictionnaire raisonné du mobilier français,* Paris, 1873, tome 4.
Page 74, top left. Old fashioned costume of Milan. **Right.** Milanese noblewoman. **Bottom left.** Old fashioned costume of Genoese woman. **Bottom right.** Old fashioned costume of Paduan men and woman. Cesare Vecellio, *Degli abiti antichi e moderni di diverse parti del mondo,* n.p., 1590.
Page 75, left. Married French noblewoman. **Right.** Old fashioned costume of a Germanian woman. Cesare Vecellio, *Degli abiti antichi e moderni di diverse parti del mondo,* n.p., 1590.
Page 76, top left. Costume of a young Venetian. **Top right.** Old fashioned costume of Venetian, Milanese and Lombard knights. **Bottom left.** Venetian soldier. **Bottom right.** Old fashioned Venetian costume. Cesare Vecellio, *Degli abiti antichi e moderni di diverse parti del mondo,* n.p., 1590.
Page 77. Old fashioned costume of Carrara lords. Cesare Vecellio, *Degli abiti antichi e moderni di diverse parti del mondo,* n.p., 1590.
Page 78, top left. Old fashioned costume of the doge. **Top right.** Old fashioned Venetian noble matron. **Bottom left.** Wife

Page 60, en haut à gauche. Jeunes français. **En haut à droite.** Jeune milanais. **En bas.** Juges de tournoi. P. Mercurj et C. Bonnard, *Costumes des XIIIe, XIVe et XVe siècles,* Paris, 1845.
Page 61, à gauche. Noble française. **En haut à droite.** Noble milanaise. **En bas à droite.** Béatrix d'Est. P. Mercurj et C. Bonnard, *Costumes des XIIIe, XIVe et XVe siècles,* Paris, 1845.
Page 62, en haut à gauche. Jeune italien. **En haut à droite.** Costume de voyage. **En bas à gauche.** Noble allemand. **En bas à droite.** Jeune italienne. P. Mercurj et C. Bonnard, *Costumes des XIIIe, XIVe et XVe siècles,* Paris, 1845.
Page 63, en haut. Noble milanaise. **En bas.** Comtesse italienne. P. Mercurj et C. Bonnard, *Costumes des XIIIe, XIVe et XVe siècles,* Paris, 1845.
Page 64. Reine de Chypre et Vénitiennes. P. Mercurj et C. Bonnard, *Costumes des XIIIe, XIVe et XVe siècles,* Paris, 1845.
Page 65, à gauche. Costume militaire. **À droite.** Noble milanais. P. Mercurj et C. Bonnard, *Costumes des XIIIe, XIVe et XVe siècles,* Paris, 1845.
Page 66, en haut à gauche. Juge criminel anglais. **En haut à droite et en bas à gauche.** Sénateurs vénitiens. **En bas à droite.** Marchand vénitien. P. Mercurj et C. Bonnard, *Costumes des XIIIe, XIVe et XVe siècles,* Paris, 1845.
Page 67, à gauche. Noble allemand. **En haut à droite.** Gentilhomme vénitien de la Calza. **En bas à droite.** Jeune vénitien de la Calza. P. Mercurj et C. Bonnard, *Costumes des XIIIe, XIVe et XVe siècles,* Paris, 1845.
Page 68, à gauche. Duc de Nemours. **À droite.** Costume militaire. **Au centre.** Jeune milanaise. P. Mercurj et C. Bonnard, *Costumes des XIIIe, XIVe et XVe siècles,* Paris, 1845.
Page 69. Gentilhommes du XVe siècle. Viollet-le-Duc, *Dictionnaire raisonné du mobilier français,* Paris, 1873, tome 4.
Page 70. Dames nobles du XVe siècle. Viollet-le-Duc, *Dictionnaire raisonné du mobilier français,* Paris, 1873, tome 4.
Page 71. Compagnon de la Calza, XVe siècle. Viollet-le-Duc, *Dictionnaire raisonné du mobilier français,* Paris, 1873, tome 4.
Page 72, à gauche. Vêtement de cérémonie de dame noble du XVe siècle. **À droite.** Parrain de chevalier au XVe siècle. Viollet-le-Duc, *Dictionnaire raisonné du mobilier français,* Paris, 1873, tome 4.
Page 73, au centre. Duc de Bourbon, XVe siècle. **À gauche.** Gentilhomme en pourpoint, XVe siècle. **À droite.** Gentilhomme du XVe siècle. Viollet-le-Duc, *Dictionnaire raisonné du mobilier français,* Paris, 1873, tome 4.
Page 74, en haut à gauche. Costume ancien de Milan. **À droite.** Femme noble de Milan. **En bas à gauche.** Ancien costume des femmes gênoises. **En bas à droite.** Costume ancien d'hommes et de femmes de Padoue. Cesare Vecellio, *Degli abiti antichi e moderni di diverse parti del mondo,* s.l., 1590.
Page 75, à gauche. Noble épouse de France. **À droite.** Ancien costume de femme de Germanie. Cesare Vecellio, *Degli abiti antichi e moderni di diverse parti del mondo,* s.l., 1590.
Page 76, en haut à gauche. Costume de jeune homme vénitien. **En haut à droite.** Ancien costume des nobles chevaliers vénitiens, milanais et lombards. **En bas à gauche.** Soldat vénitien. **En bas à droite.** Ancien costume vénitien. Cesare Vecellio, *Degli abiti antichi e moderni di diverse parti del mondo,* s.l., 1590.
Page 77. Ancien costume des seigneurs de Carrare. Cesare Vecellio, *Degli abiti antichi e moderni di diverse parti del mondo,* s.l., 1590.
Page 78, en haut à gauche. Ancien costume de doge. **En haut à droite.** Ancienne noble matrone vénitienne. **En bas à gauche.**

Seite 60, Oben links. Junge Franzosen. **Oben rechts.** Junge Milaner. **Unten.** Schiedsrichter. P. Mercurj und C. Bonnard, *Costumes des XIIIe, XIVe et XVe siècles,* Paris, 1845.
Seite 61, Links. Französische Edeldamen. **Oben rechts.** Milanische Edelmänner. **Unten rechts.** Béatrix d'Est. P. Mercurj und C. Bonnard, *Costumes des XIIIe, XIVe et XVe siècles,* Paris, 1845.
Seite 62, Oben links. Junger Italiener. **Oben rechts.** Reisekleidung. **Unten links.** Deutscher Edelmann. **Unten rechts.** Junge Italienerin. P. Mercurj und C. Bonnard, *Costumes des XIIIe, XIVe et XVe siècles,* Paris, 1845.
Seite 63, Oben. Milanische Edelfrau. **Unten.** Italienische Comtesse. P. Mercurj und C. Bonnard, *Costumes des XIIIe, XIVe et XVe* siècles, Paris, 1845.
Seite 64. Königin von Zypern und Venezianerinnen. P. Mercurj und C. Bonnard, *Costumes des XIIIe, XIVe et XVe siècles,* Paris, 1845.
Seite 65, Links. Militärkleidung. **Rechts.** Milanischer Edelmann. P. Mercurj und C. Bonnard, *Costumes des XIIIe, XIVe et XVe siècles,* Paris, 1845.
Seite 66, Oben links. Englischer Richter für Kriminalfälle. **Oben rechts und unten links.** Venezianische Senatoren. **Unten rechts.** Venezianischer Kaufmann. P. Mercurj und C. Bonnard, *Costumes des XIIIe, XIVe et XVe siècles,* Paris, 1845.
Seite 67, Links. Deutscher Edelmann. **Oben rechts.** Venezianischer Edelmann aus Calza. **Unten rechts.** Junger Venezianer aus Calza. P. Mercurj und C. Bonnard, *Costumes des XIIIe, XIVe et XVe siècles,* Paris, 1845.
Seite 68, Links. Herzog von Nemours. **Rechts.** Militärkleidung. **Mitte.** Junge Milanerin. P. Mercurj und C. Bonnard, *Costumes des XIIIe, XIVe et XVe siècles,* Paris, 1845.
Seite 69. Edelmann des 15.Jh. Viollet-le-Duc, *Dictionnaire raisonné du mobilier français,* Paris, 1873, Band 4.
Seite 70. Edeldamen des 15.Jh. Viollet-le-Duc, *Dictionnaire raisonné du mobilier français,* Paris, 1873, Band 4.
Seite 71. Gefährte von Calza, 15. Jh. Viollet-le-Duc, *Dictionnaire raisonné du mobilier français,* Paris, 1873, Band 4.
Seite 72, Links. Festkleidung einer Edeldame des 15. Jh. **Rechts.** Ritter des 15. Jh. Viollet-le-Duc, *Dictionnaire raisonné du mobilier français, Paris,* 1873, Band 4.
Seite 73, Mitte. Herzog von Bourbon, 15. Jh. Links. Edelmann in Purpur gekleidet, 15. Jh. **Rechts.** Edelmann des 15. Jh. Viollet-le-Duc, *Dictionnaire raisonné du mobilier français,* Paris, 1873, Band 4.
Seite 74, Oben links. Älterer Milanischer Kleidungsstil. **Rechts.** Milanische Edeldame. **Unten links.** Alter Kleidungsstil von Frauen in Genua. **Unten rechts.** Älterer Kleidungsstil von Männern und Frauen in Padua. Cesare Vecellio, *Degli abiti antichi e moderni di diverse parti del mondo,* s.l., 1590.
Seite 75, Links. Ehefrau eines französischen Edelmannes. **Rechts.** Alter Kleidungsstil deutscher Frauen. Cesare Vecellio, *Degli abiti antichi e moderni di diverse parti del mondo,* s.l., 1590.
Seite 76, Oben links. Kleidung eines jungen venezianischen Mannes. **Oben rechts.** Kleidung ehemaliger venezianischer, milanischer und lombardischer Reiter. **Unten links.** Venezianischer Soldat. **Unten rechts.** Alte venezianische Kleidung. Cesare Vecellio, *Degli abiti antichi e moderni di diverse parti del mondo,* s.l., 1590.
Seite 77. Kleidung des Lehnsherren von Carrara. Cesare Vecellio, *Degli abiti antichi e moderni di diverse parti del mondo,* s.l., 1590.
Seite 78, Oben links. Kleidung des Dogen. **Oben rechts.** Ehemalige venezianische Edelmatrone. **Unten links.** Ehefrau eines

Página 60, arriba a la izquierda. Jóvenes franceses. **Arriba a la derecha.** Jóvenes milaneses. **Abajo.** Juez de torneo. P. Mercurj y C. Bonnard, *Costumes des XIIIe, XIVe et XVe siècles,* París, 1845.
Página 61, a la izquierda. Noble francesa. **Arriba a la derecha.** Noble milanesa. **Abajo a la derecha.** Béatrix d'Este. P. Mercurj y C. Bonnard, *Costumes des XIIIe, XIVe et XVe siècles,* París, 1845.
Página 62, arriba a la izquierda. Joven italiano. **Arriba a la derecha.** Traje de viaje. **Abajo a la izquierda.** Noble alemán. **Abajo a la derecha.** Joven italiana. P. Mercurj y C. Bonnard, *Costumes des XIIIe, XIVe et XVe siècles,* París, 1845.
Página 63, arriba. Noble milanesa. **Abajo.** Condesa italiana. P. Mercurj y C. Bonnard, *Costumes des XIIIe, XIVe et XVe siècles,* París, 1845.
Página 64. Reina de Chipre y venecianas. P. Mercurj y C. Bonnard, *Costumes des XIIIe, XIVe et XVe siècles,* París, 1845.
Página 65, a la izquierda. Traje militar. **A la derecha.** Noble milanés. P. Mercurj y C. Bonnard, *Costumes des XIIIe, XIVe et XVe siècles,* París, 1845.
Página 66, arriba a la izquierda. Juez inglés. **Arriba a la derecha y Abajo a la izquierda.** Senadores venecianos. **Abajo a la derecha.** Vendedor veneciano. P. Mercurj y C. Bonnard, *Costumes des XIIIe, XIVe et XVe siècles,* París, 1845.
Página 67, a la izquierda. Noble alemán. **Arriba a la derecha.** Señor veneciano de la Calza. **Abajo a la derecha.** Joven veneciano de la Calza. P. Mercurj y C. Bonnard, *Costumes des XIIIe, XIVe et XVe siècles,* París, 1845.
Página 68, a la izquierda. Duque de Nemours. **A la derecha.** Traje militar. **En el centro.** Joven milanesa. P. Mercurj y C. Bonnard, *Costumes des XIIIe, XIVe et XVe siècles,* París, 1845.
Página 69. Señores del siglo XV. Viollet-le-Duc, *Dictionnaire raisonné du mobilier français,* París, 1873, tomo 4.
Página 70. Señoras nobles del siglo XV. Viollet-le-Duc, *Dictionnaire raisonné du mobilier français,* París, 1873, tomo 4.
Página 71. Compañeros de la Calza, xve siglo. Viollet-le-Duc, *Dictionnaire raisonné du mobilier français,* París, 1873, tomo 4.
Página 72, a la izquierda. Traje de ceremonia de señora noble del siglo XV. **A la derecha.** Padrino de caballero del siglo XV. Viollet-le-Duc, *Dictionnaire raisonné du mobilier français,* París, 1873, tomo 4.
Página 73, en el centro. Duque de Borbón, siglo XV. **A la izquierda.** Señor con un jubón, siglo XV. **A la derecha.** Señor del siglo XV. Viollet-le-Duc, *Dictionnaire raisonné du mobilier français,* París, 1873, tomo 4.
Página 74, arriba a la izquierda. Traje antiguo de Milano. **A la derecha.** Señora noble de Milano. **Abajo a la izquierda.** Traje antiguo de las genovesas. **Abajo a la derecha.** Traje antiguo de los hombres y de la señoras de Padova. Cesare Vecellio, *Degli abiti antichi e moderni di diverse parti del mondo,* s.l., 1590.
Página 75, a la izquierda. Noble casada Francesa. **A la derecha.** Traje antiguo de las señoras de Germanía. Cesare Vecellio, *Degli abiti antichi e moderni di diverse parti del mondo,* s.l., 1590.
Página 76, arriba a la izquierda. Traje de los jóvenes venecianos. **Arriba a la derecha.** Traje antiguo de los nobles caballeros venecianos, milaneses y lombardos. **Abajo a la izquierda.** Soldado veneciano. **Abajo a la derecha.** Traje antiguo veneciano. Cesare Vecellio, *Degli abiti antichi e moderni di diverse parti del mondo,* s.l., 1590.
Página 77. Traje antiguo de los señores de Carrara. Cesare Vecellio, *Degli abiti antichi e moderni di diverse parti del mondo,* s.l., 1590.
Página 78, arriba a la izquierda. Traje antiguo de dux. **Arriba a la derecha.** Antigua noble veneciana. **Abajo a la izquierda.**

of the former Venetian castellan. **Bottom center.** Venetian lord castellan. **Bottom right.** Old fashioned costume of honest Venetian women. Cesare Vecellio, *Degli abiti antichi e moderni di diverse parti del mondo,* n.p., 1590.
Page 79, left. Old fashioned Venetian costumes. **Right.** Old fashioned costume of certain Venetian women. Cesare Vecellio, *Degli abiti antichi e moderni di diverse parti del mondo,* n.p., 1590.
Page 80. Old fashioned dogaline. Cesare Vecellio, *Degli abiti antichi e moderni di diverse parti del mondo,* n.p., 1590.
Page 81, top left. Old fashioned costume of young noblemen. **Top right.** Old fashioned costume of young Venetians. **Bottom left.** Old fashioned costume of Italian youth. **Bottom right.** Costume of an armed man. Cesare Vecellio, *Degli abiti antichi e moderni di diverse parti del mondo,* s.l., 1590.
Page 82, left. Old fashioned costume of a Tuscan woman. **Right.** Old fashioned costume of a Spanish woman. Cesare Vecellio, *Degli abiti antichi e moderni di diverse parti del mondo,* n.p., 1590.
Page 83. Milanese gentleman and governess. P. Mercurj and C. Bonnard, *Costumes des XIIIe, XIVe et XVe siècles,* Paris, 1845.
Page 84. Italian costumes, 15th century. P. Mercurj and C. Bonnard. *Costumes des XIIIe, XIVe et XVe siècles,* Paris, 1845.
Page 85. Piece of armor, 15th century. Viollet-le-Duc, *Dictionnaire raisonné du mobilier français,* Paris, 1873, tome 2.
Page 86. Jousters, 13th and 14th centuries. Viollet-le-Duc, *Dictionnaire raisonné du mobilier français,* Paris, 1873, tome 2.
Page 87, top left. Jouster at rest, late 15th century. **Top right and bottom left.** Cross-bowman. **Bottom right.** Jouster. Viollet-le-Duc, *Dictionnaire raisonné du mobilier français,* Paris, 1873, tomes 2 and 5.
Page 88. Jouster, 15th century. Viollet-le-Duc, *Dictionnaire raisonné du mobilier français,* Paris, 1873, tome 2.
Page 89, top left. English archer, 15th century. **Bottom left.** Free archer of Charles VII. **Right.** Cross-bowman, late 15th century. Viollet-le-Duc, *Dictionnaire raisonné du mobilier français,* Paris, 1873, tome 5.
Page 90, top left. Scottish archer. **Top right.** Norman horseman, 12th century. **Bottom.** Man at arms, circa 1250. Viollet-le-Duc, *Dictionnaire raisonné du mobilier français,* Paris, 1873, tome 5.
Page 91, top left. Men at arms, 12th century. **Top right.** Knights of the Rhine provinces, late 12th century. **Bottom.** Men at arms, circa 1250. Viollet-le-Duc, *Dictionnaire raisonné du mobilier français,* Paris, 1873, tome 5.
Page 92, left. French warriors, 12th century. Viollet-le-Duc, *Dictionnaire raisonné du mobilier français,* Paris, 1873, tome 5.
Page 93. Men at arms, late 14th century. Viollet-le-Duc, *Dictionnaire raisonné du mobilier français,* Paris, 1873, tome 5.
Page 94, top and Bottom left. Men at arms, early 14th century. **Top right.** Armor of Ulrick Landgrave of Alsace. **Bottom right.** Men at arms, late 14th century. Viollet-le-Duc, *Dictionnaire raisonné du mobilier français,* Paris, 1873, tome 5.
Pages 95-98 Men at arms, 14th and 15th centuries. Viollet-le-Duc, *Dictionnaire raisonné du mobilier français,* Paris, 1873, tome 5.
Page 99. Foot soldiers. 15th century. Viollet-le-Duc, *Dictionnaire raisonné du mobilier français,* Paris, 1873, tome 5.
Page 100, left. Pedestrian, 13th century. **Top right.** Knight carrying his shield on his shoulder, late 15th century. **Bottom right.** Coat of banded mail, mid-15th century. Viollet-le-Duc, *Dictionnaire raisonné du mobilier français,* Paris, 1873, tome 5.

Femme d'ancien châtelain vénitien. **En bas au centre.** Seigneur châtelain vénitien. **En bas à droite.** Ancien costume des honnêtes femmes vénitienne. Cesare Vecellio, *Degli abiti antichi e moderni di diverse parti del mondo,* s.l., 1590.
Page 79, à gauche. Anciens Costumes de Venise. **À droite.** Ancien costume de quelques Vénitiennes. Cesare Vecellio, *Degli abiti antichi e moderni di diverse parti del mondo,* s.l., 1590.
Page 80. Dogaline ancienne. Cesare Vecellio, *Degli abiti antichi e moderni di diverse parti del mondo,* s.l., 1590.
Page 81, en haut à gauche. Ancien costume de jeune noble. **En haut à droite.** Ancien costume des jeunes Vénitiens. **En bas à gauche.** Costume de l'ancienne jeunesse italienne **En bas à droite.** Costume d'homme armé. Cesare Vecellio, *Degli abiti antichi e moderni di diverse parti del mondo,* s.l., 1590.
Page 82, à gauche. Ancien costume de femme toscane. **À droite.** Ancien costume de femme espagnole. Cesare Vecellio, *Degli abiti antichi e moderni di diverse parti del mondo,* s.l., 1590.
Page 83. Gentilhomme milanais et sa gouvernante. P. Mercurj et C. Bonnard, *Costumes des XIIIe, XIVe et XVe siècles,* Paris, 1845.
Page 84. Costumes italiens, XVe siècle. P. Mercurj et C. Bonnard. *Costumes des XIIIe, XIVe et XVe siècles,* Paris, 1845.
Page 85. Pièce d'armure du XVe siècle. Viollet-le-Duc, *Dictionnaire raisonné du mobilier français,* Paris, 1873, tome 2.
Page 86. Jouteurs des XIIIe et XIVe siècles. Viollet-le-Duc, *Dictionnaire raisonné du mobilier français,* Paris, 1873, tome 2.
Page 87, en haut à gauche. Jouteur au repos, fin du XVe siècle. **En haut à droite et en bas à gauche.** Arbalétrier. **En bas à droite.** Jouteur. Viollet-le-Duc, *Dictionnaire raisonné du mobilier français,* Paris, 1873, tomes 2 et 5.
Page 88. Jouteur, XVe siècle. Viollet-le-Duc, *Dictionnaire raisonné du mobilier français,* Paris, 1873, tome 2.
Page 89, en haut à gauche. Archer anglais, XVe siècle. **En bas à gauche.** Franc-archer de Charles VII. **À droite.** Arbalétrier, fin du XIVe siècle. Viollet-le-Duc, *Dictionnaire raisonné du mobilier français,* Paris, 1873, tome 5.
Page 90, en haut à gauche. Archer écossais. **En haut à droite.** Cavalier normand, XIIe siècle. **En bas.** Homme d'arme vers 1250. Viollet-le-Duc, *Dictionnaire raisonné du mobilier français,* Paris, 1873, tome 5.
Page 91, en haut à gauche. Hommes d'armes, XIIe siècle. **En haut à droite.** Chevaliers des provinces du Rhénanes, fin du XIIe siècle. **En bas.** Hommes d'armes vers 1250. Viollet-le-Duc, *Dictionnaire raisonné du mobilier français,* Paris, 1873, tome 5.
Page 92, à gauche. Guerriers français, XIIe siècle. Viollet-le-Duc, *Dictionnaire raisonné du mobilier français,* Paris, 1873, tome 5.
Page 93. Hommes d'armes vers la fin du XIVe siècle. Viollet-le-Duc, *Dictionnaire raisonné du mobilier français,* Paris, 1873, tome 5.
Page 94, en haut et en bas à gauche. Hommes d'armes, début du XIVe siècle. **En haut à droite.** Armure d'Ulrick Landgrave d'Alsace. **En bas à droite.** Homme d'armes, fin du XIVe siècle. Viollet-le-Duc, *Dictionnaire raisonné du mobilier français,* Paris, 1873, tome 5.
Pages 95-98. Hommes d'armes, XIVe et XVe siècles. Viollet-le-Duc, *Dictionnaire raisonné du mobilier français,* Paris, 1873, tome 5.
Page 99. Fantassins, XVe siècle. Viollet-le-Duc, *Dictionnaire raisonné du mobilier français,* Paris, 1873, tome 5.
Page 100, à gauche. Piéton, XIIIe siècle. **En haut à droite.** Chevalier portant l'écu sur l'épaule, fin du XVe siècle. **En bas à droite.** Cotte d'arme au milieu du XVe siècle. Viollet-le-Duc, *Dictionnaire raisonné du mobilier français,* Paris, 1873, tome 5.

ehemaligen venezianischen Châtelain. **Unten Mitte.** Venezianischer Châtelain. **Unten rechts.** Kleidung venezianischer Edelfrauen. Cesare Vecellio, *Degli abiti antichi e moderni di diverse parti del mondo,* s.l., 1590.
Seite 79, Links. Alter Kleidungsstil in Venedig. **Rechts.** Kleidung einiger Venezianerinnen. Cesare Vecellio, *Degli abiti antichi e moderni di diverse parti del mondo,* s.l., 1590.
Seite 80. Ehemalige Dogaline. Cesare Vecellio, *Degli abiti antichi e moderni di diverse parti del mondo,* s.l., 1590.
Seite 81, Oben links. Kleidung einer jungen Edeldame. **Oben rechts.** Kleidung junger venezianischer Leute. **Unten links.** Kleidung der italienischen Jugend der damaligen Zeit. **Unten rechts.** Kleidung eines bewaffneten Mannes. Cesare Vecellio, *Degli abiti antichi e moderni di diverse parti del mondo,* s.l., 1590.
Seite 82, Links. Kleidung einer Frau in der Toskana. **Rechts.** Kleidung einer spanischen Frau. Cesare Vecellio, *Degli abiti antichi e moderni di diverse parti del mondo,* s.l., 1590.
Seite 83. Milanischer Edelmann und seine Gouvernante. P. Mercurj und C. Bonnard, *Costumes des XIIIe, XIVe et XVe siècles,* Paris, 1845.
Seite 84. Italienische Kleidung des 15. Jh. P. Mercurj und C. Bonnard. *Costumes des XIIIe, XIVe et XVe siècles,* Paris, 1845.
Seite 85. Teil einer Rüstung aus dem 15. Jh. Viollet-le-Duc, *Dictionnaire raisonné du mobilier français,* Paris, 1873, Band 2.
Seite 86. Tournierkämpfer des 13. Jh. Viollet-le-Duc, *Dictionnaire raisonné du mobilier français,* Paris, 1873, Band 2.
Seite 87, Oben links. Turnierkämpfer nicht kämpfend, Ende des 15. Jh. Oben rechts und unten links. Arbaletrier. **Unten rechts.** Turnierkämpfer. Viollet-le-Duc, *Dictionnaire raisonné du mobilier français,* Paris, 1873, Band 2 und 5.
Seite 88. Turnierkämpfer des 15. Jh. Viollet-le-Duc, *Dictionnaire raisonné du mobilier français,* Paris, 1873, Band 2.
Seite 89, Oben links. Englischer Bogenschütze des 15. Jh. **Unten links.** Bogenschütze im Dienst von Charles VII. **Rechts.** Arbaletrier Ende des 14. Jh. Viollet-le-Duc, *Dictionnaire raisonné du mobilier français,* Paris, 1873, Band 5.
Seite 90, Oben links. Schottischer Bogenschütze. **Oben rechts.** Kavalier des 12. Jh. aus der Normandie stammend. **Unten.** Krieger um 1250. Viollet-le-Duc, *Dictionnaire raisonné du mobilier français,* Paris, 1873, Band 5.
Seite 91, Oben links. Krieger des 12. Jh. **Oben rechts.** Reiter aus den Provinzen um Rhénanes zu Ende des 12. Jh. **Unten.** Krieger um 1250. Viollet-le-Duc, *Dictionnaire raisonné du mobilier français,* Paris, 1873, Band 5.
Seite 92, Links. Französische Krieger Ende des 12. Jh. Viollet-le-Duc, *Dictionnaire raisonné du mobilier français,* Paris, 1873, Band 5.
Seite 93. Krieger am Ende des 14. Jh. Viollet-le-Duc, *Dictionnaire raisonné du mobilier français,* Paris, 1873, Band 5.
Seite 94, Oben und unten links. Krieger Anfang des 14. Jh. **Oben rechts.** Rüstung des Ulrich Landgrave im Elsass. **Unten rechts.** Krieger Ende des 14. Jh. Viollet-le-Duc, *Dictionnaire raisonné du mobilier français,* Paris, 1873, Band 5.
Seite 95 bis 98. Krieger des 14. und 15. Jh. Viollet-le-Duc, *Dictionnaire raisonné du mobilier français,* Paris, 1873, Band 5.
Seite 99. Fußsoldat des 15. Jh. Viollet-le-Duc, *Dictionnaire raisonné du mobilier français,* Paris, 1873, Band 5.
Seite 100, Links. Fußgänger im 13. Jh. **Oben rechts.** Reiter ein Schild auf den Schultern tragend zu Ende des 15. Jh. **Unten rechts.** Waffenbereitschaft, Mitte 15. Jh. Viollet-le-Duc, *Dictionnaire raisonné du mobilier français,* Paris, 1873, Band 5.

Antigua castellana veneciana. **Abajo en el centro.** Castellano veneciano. **Abajo a la derecha.** Traje antiguo de venecianas. Cesare Vecellio, *Degli abiti antichi e moderni di diverse parti del mondo,* s.l., 1590.
Página 79, a la izquierda. Trajes antiguos venecianos. **A la derecha.** Traje antiguo de algunas venecianas. Cesare Vecellio, *Degli abiti antichi e moderni di diverse parti del mondo,* s.l., 1590.
Página 80. Antiguo traje "a la dux". Cesare Vecellio, *Degli abiti antichi e moderni di diverse parti del mondo,* s.l., 1590.
Página 81, arriba a la izquierda. Traje antiguo de un joven noble. **Arriba a la derecha.** Traje antiguo de jóvenes venecianos. **Abajo a la izquierda.** Traje de la antigua juventud italiana **Abajo a la derecha.** Traje de hombre armado. Cesare Vecellio, *Degli abiti antichi e moderni di diverse parti del mondo,* s.l., 1590.
Página 82, a la izquierda. Traje antiguo de toscana. **A la derecha.** Traje antiguo de española. Cesare Vecellio, *Degli abiti antichi e moderni di diverse parti del mondo,* s.l., 1590.
Página 83. Señor milanés y su dueña. P. Mercurj y C. Bonnard, *Costumes des XIIIe, XIVe et XVe siècles,* París, 1845.
Página 84. Trajes italianos del siglo XV. P. Mercurj y C. Bonnard. *Costumes des XIIIe, XIVe et XVe siècles,* París, 1845.
Página 85. Armadura del siglo XV. Viollet-le-Duc, *Dictionnaire raisonné du mobilier français,* París, 1873, tomo 2.
Página 86. Justadores de los siglos XIII y XIV. Viollet-le-Duc, *Dictionnaire raisonné du mobilier français,* París, 1873, tomo 2.
Página 87, arriba a la izquierda. Justador descansando, fin del siglo XV. **Arriba a la derecha y Abajo a la izquierda.** Ballestero. **Abajo a la derecha.** Justador. Viollet-le-Duc, *Dictionnaire raisonné du mobilier français,* París, 1873, tomos 2 y 5.
Página 88. Justador del siglo XV. Viollet-le-Duc, *Dictionnaire raisonné du mobilier français,* París, 1873, tomo 2.
Página 89, arriba a la izquierda. Arquero inglés del siglo XV. **Abajo a la izquierda.** Arquero de Carlos VII. **A la derecha.** Ballestero del fin del siglo XIV. Viollet-le-Duc, *Dictionnaire raisonné du mobilier français,* París, 1873, tomo 5.
Página 90, arriba a la izquierda. Arquero escocés. **Arriba a la derecha.** Jinete normando del siglo XII. **Abajo.** Hombre armado hacia 1250. Viollet-le-Duc, *Dictionnaire raisonné du mobilier français,* París, 1873, tomo 5.
Página 91, arriba a la izquierda. Hombres armados del siglo XII. **Arriba a la derecha.** Caballeros Rénanos al fin del siglo XII. **Abajo.** Hombres armados hacia 1250. Viollet-le-Duc, *Dictionnaire raisonné du mobilier français,* París, 1873, tomo 5.
Página 92, a la izquierda. Guerreros franceses del siglo XII. Viollet-le-Duc, *Dictionnaire raisonné du mobilier français,* París, 1873, tomo 5.
Página 93. Hombres armados hacia el fin del siglo XIV. Viollet-le-Duc, *Dictionnaire raisonné du mobilier français,* París, 1873, tomo 5.
Página 94, arriba y Abajo a la izquierda. Hombres armados, principio del siglo XIV. **Arriba a la derecha.** Armadura de Ulrick Landgrave de Alsacia. **Abajo a la derecha.** Hombres armados, fin del siglo XIV. Viollet-le-Duc, *Dictionnaire raisonné du mobilier français,* París, 1873, tomo 5.
Páginas 95-98. Hombres armados, siglos XIV y XV. Viollet-le-Duc, *Dictionnaire raisonné du mobilier francés,* París, 1873, tomo 5.
Página 99. Infantes del siglo XV. Viollet-le-Duc, *Dictionnaire raisonné du mobilier français,* París, 1873, tomo 5.
Página 100, a la izquierda. Infante del siglo XIII. **Arriba a la derecha.** Caballero con un escudo sobre el hombro, fin del siglo XV. **Abajo a la derecha.** Armadura, medio del siglo XV. Viollet-le-Duc, *Dictionnaire raisonné du mobilier francés,* París, 1873, tomo 5.

Page 101, top left. Foot soldier, 1395. **Top right.** Foot soldier dressed in the Italian style, 15th century. **Bottom left.** Foot soldier, 1440. **Bottom right.** Mixed armor, late 14th century. **Center.** Men at arms, late 14th century. Viollet-le-Duc, *Dictionnaire raisonné du mobilier français,* Paris, 1873, tome 5.
Page 102, top left. Slinger of the king of Castille. **Top right.** Mixed armor and Flemish breeches, late 14th century. **Bottom left.** Knight embracing his shield. **Bottom right.** Man at arms, 14th century. Viollet-le-Duc, *Dictionnaire raisonné du mobilier français,* Paris, 1873, tome 5.
Page 103. Man at arms, 14th century. Viollet-le-Duc, *Dictionnaire raisonné du mobilier français,* Paris, 1873, tome 5.
Page 104, left. French armor, 15th century. **Right.** Maximilian armor, late 15th century. Viollet-le-Duc, *Dictionnaire raisonné du mobilier français,* Paris, 1873, tome 5.
Page 105. Turk of high rank. Cesare Vecellio, *Degli abiti antichi e moderni di diverse parti del mondo,* n.p., 1590.
Page 106, top left. Costume of the grand Turk. **Top right.** Mufti costume. **Bottom left.** Aga, general of the janissaries. **Bottom left.** Bacha, one of the janissary chiefs. Cesare Vecellio, *Degli abiti antichi e moderni di diverse parti del mondo,* n.p., 1590.
Page 107, top left. Cadilesker. **Bottom left.** Porter of a great lord, called Capugi. **Top right.** Turkish woman at home. **Bottom right.** Turkish woman of high rank in public. Cesare Vecellio, *Degli abiti antichi e moderni di diverse parti del mondo,* n.p., 1590.
Page 108. How the Turks ride a horse when it rains. Cesare Vecellio, *Degli abiti antichi e moderni di diverse parti del mondo,* n.p., 1590.
Page 109, Right. Turkish woman of inferior rank. **top left.** Sultan's favorite. **Bottom left.** Woman of a harem. Cesare Vecellio, *Degli abiti antichi e moderni di diverse parti del mondo,* n.p., 1590.
Page 110, top left. Jopeg, bombardier. **top au centre.** Bravo of the Kassim. **Top right.** Adjemioglans. **Bottom left.** Azape, gallery archer. **Bottom right.** Slave and Sultan's page. Cesare Vecellio, *Degli abiti antichi e moderni di diverse parti del mondo,* n.p., 1590.
Page 111. Ethiopian soldier. Cesare Vecellio, *Degli abiti antichi e moderni di diverse parti del mondo,* n.p., 1590.
Page 112, left. Ethiopian nobleman. **Right.** Ethiopian virgin Cesare Vecellio, *Degli abiti antichi e moderni di diverse parti del mondo,* n.p., 1590.
Page 113, top left. Woman of Cairo. **Top centre.** Costume of Campson Gauri, grand sultan of Cairo. **Top right.** Turkish woman **Bottom left.** Admirals and advisors of the grand sultan. **Bottom right.** Moorish nobleman of Cairo. Cesare Vecellio, *Degli abiti antichi e moderni di diverse parti del mondo,* n.p., 1590.
Page 114, left. Indian christian of Cairo. **Top right.** Moor of high rank. **Bottom right.** Beglerberg of Anatolia. Cesare Vecellio, *Degli abiti antichi e moderni di diverse parti del mondo,* n.p., 1590.
Page 115. Turkish bravo, called Roncassi. Cesare Vecellio, *Degli abiti antichi e moderni di diverse parti del mondo,* n.p., 1590.
Page 116, top left. African Indian of Ceffala. **Top right.** Costume of Djebel, kingdom of Africa. **Bottom left.** Archer of

Page 101, en haut à gauche. Fantassin en 1395. **En haut à droite.** Fantassin habillé à l'italienne, XVe siècle. **En bas à gauche.** Fantassin en 1440. **En bas à droite.** Armure mixte, fin du XIVe siècle. **Au centre.** Homme d'armes, fin du XIVe siècle. Viollet-le-Duc, *Dictionnaire raisonné du mobilier français,* Paris, 1873, tome 5.
Page 102, en haut à gauche. Frondeur du roi de Castille. **En haut à droite.** Armure mixte, chausses flandresques, fin du XIVe siècle. **En bas à gauche.** Chevalier embrassant l'écu. **En bas à droite.** Homme d'armes, XIVe siècle. Viollet-le-Duc, *Dictionnaire raisonné du mobilier français,* Paris, 1873, tome 5.
Page 103. Homme d'armes, XIVe siècle. Viollet-le-Duc, *Dictionnaire raisonné du mobilier français,* Paris, 1873, tome 5.
Page 104, à gauche. Armure française, XVe siècle. **À droite.** Armure maximilienne, fin du XVe siècle. Viollet-le-Duc, *Dictionnaire raisonné du mobilier français,* Paris, 1873, tome 5.
Page 105. Turc de haute condition. Cesare Vecellio, *Degli abiti antichi e moderni di diverse parti del mondo,* s.l., 1590.
Page 106, en haut à gauche. Costume du grand Turc. **En haut à droite.** Costume de mufti. **En bas à gauche.** Aga, général des janissaires. **En bas à gauche.** Bacha, un des chef des janissaires. Cesare Vecellio, *Degli abiti antichi e moderni di diverse parti del mondo,* s.l., 1590.
Page 107, en haut à gauche. Cadilesker. **En bas à gauche.** Portier du grand seigneur, dit Capugi. **En haut à droite.** Femme turque dans sa maison. **En bas à droite.** Femme turque de condition hors de sa maison. Cesare Vecellio, *Degli abiti antichi e moderni di diverse parti del mondo,* s.l., 1590.
Page 108. Manière dont les Turcs vont à cheval quand il pleut. Cesare Vecellio, *Degli abiti antichi e moderni di diverse parti del mondo,* s.l., 1590.
Page 109, à droite. Femme turque de condition inférieure. **En haut à gauche.** La favorite du sultan. **En bas à gauche.** Femme du sérail. Cesare Vecellio, *Degli abiti antichi e moderni di diverse parti del mondo,* s.l., 1590.
Page 110, en haut à gauche. Jopeg, bombardier. **En haut au centre.** Bravo des Kassim. **En haut à droite.** Adjémioglans. **En bas à gauche.** Azape, archer de galère. **En bas à droite.** Esclave et page du sultan. Cesare Vecellio, *Degli abiti antichi e moderni di diverse parti del mondo,* s.l., 1590.
Page 111. Soldat éthiopien. Cesare Vecellio, *Degli abiti antichi e moderni di diverse parti del mondo,* s.l., 1590.
Page 112, à gauche. Noble éthiopien. **À droite.** Vierge éthiopienne. Cesare Vecellio, *Degli abiti antichi e moderni di diverse parti del mondo,* s.l., 1590.
Page 113, en haut à gauche. Femme du Caire. **En haut au centre.** Costume de Campson Gauri, grand sultan du Caire. **En haut à droite.** Femme turque. **En bas à gauche.** Amiraux et conseillers du grand sultan. **En bas à droite.** Maure noble du Caire. Cesare Vecellio, *Degli abiti antichi e moderni di diverse parti del mondo,* s.l., 1590.
Page 114, à gauche. Chrétien indien au Caire. **En haut à droite.** Maure de haut rang. **En bas à droite.** Beglerberg d'Anatolie. Cesare Vecellio, *Degli abiti antichi e moderni di diverse parti del mondo,* s.l., 1590.
Page 115. Bravo turc, dit Roncassi. Cesare Vecellio, *Degli abiti antichi e moderni di diverse parti del mondo,* s.l., 1590.
Page 116, en haut à gauche. Indien africain de Ceffala. **En haut à droite.** Costume du Djebel, royaume d'Afrique. **En bas à**

Seite 101, Oben links. Fußsoldat 1395. **Oben rechts.** Fußsoldat im 15. Jh. nach italienischer Art gekleidet. **Unten links.** Fußsoldat 1440. **Unten rechts.** Zusammengesetzte Rüstung zu Ende des 14. Jh. Mitte. Krieger am Ende des 14. Jh. Viollet-le-Duc, *Dictionnaire raisonné du mobilier français,* Paris, 1873, Band 5.
Seite 102, Oben links. Frondeur des Königs von Castille. **Oben rechts.** Zusammengesetzte Rüstung, Schuhe aus Flandern zu Ende des 14. Jh. **Unten links.** Reiter ein Schutzschild tragend. **Unten rechts.** Krieger im 14. Jh. Viollet-le-Duc, *Dictionnaire raisonné du mobilier français,* Paris, 1873, Band 5.
Seite 103. Krieger des 14. Jh. Viollet-le-Duc, *Dictionnaire raisonné du mobilier français,* Paris, 1873, Band 5.
Seite 104, Links. Französische Rüstung des 15. Jh. **Rechts.** Maximilianische Rüstung zu Ende des 15. Jh. Viollet-le-Duc, *Dictionnaire raisonné du mobilier français,* Paris, 1873, Band 5.
Seite 105. Türke von bedeutender sozialer Stellung. Cesare Vecellio, *Degli abiti antichi e moderni di diverse parti del mondo,* s.l., 1590.
Seite 106, Oben links. Kleidung des Großtürken. **Oben rechts.** Kleidung der Mufti. **Unten links.** Aga, General der Janissare. **Unten links.** Bacha, einer der Chefs der Janissare. Cesare Vecellio, *Degli abiti antichi e moderni di diverse parti del mondo,* s.l., 1590.
Seite 107, Oben links. Cadilesker. **Unten links.** Portier des Großherren, dit Capugi. **Oben rechts.** Türkische Frau in ihrem Haus. **Unten rechts.** Türkische Frau außerhalb ihres Hauses. Cesare Vecellio, *Degli abiti antichi e moderni di diverse parti del mondo,* s.l., 1590.
Seite 108. Art und Weise, wie Türken reiten wenn es regnet. Cesare Vecellio, *Degli abiti antichi e moderni di diverse parti del mondo,* s.l., 1590.
Seite 109, Rechts. Türkische Frau unter niedrigen Lebensverhältnissen. **Oben links.** Die Favoritin des Sultan. **Unten links.** Frau aus dem Serail. Cesare Vecellio, *Degli abiti antichi e moderni di diverse parti del mondo,* s.l., 1590.
Seite 110, Oben links. Jopeg, Bombardier. **Oben Mitte.** Bravo des Kassim. **Oben rechts.** Adjemioglans. **Unten links.** Azape, Bogenschütze der Galeere. **Unten rechts.** Sklave und Page des Sultan. Cesare Vecellio, *Degli abiti antichi e moderni di diverse parti del mondo,* s.l., 1590.
Seite 111. Äthiopischer Soldat. Cesare Vecellio, *Degli abiti antichi e moderni di diverse parti del mondo,* s.l., 1590.
Seite 112, Links. Äthiopische Edelmänner. Rechts. Äthiopischer Jüngling. Cesare Vecellio, *Degli abiti antichi e moderni di diverse parti del mondo,* s.l., 1590.
Seite 113, Oben links. Frau aus Kairo. **Oben Mitte.** Kleidung des Campson Gauri, Großer Sultan von Kairo. **Oben rechts.** Türkische Frau. **Unten links.** Admirale und Berater des Grossen Sultan. **Unten rechts.** Edelmaure von Kairo. Cesare Vecellio, *Degli abiti antichi e moderni di diverse parti del mondo,* s.l., 1590.
Seite 114, Links. Indischer Christ in Kairo. **Oben recht.** Maure in gehobener sozialer Stellung. **Unten rechts.** Beglerberg von Anatolien. Cesare Vecellio, *Degli abiti antichi e moderni di diverse parti del mondo,* s.l., 1590.
Seite 115. Bravotürke, dit Roncassi. Cesare Vecellio, *Degli abiti antichi e moderni di diverse parti del mondo,* s.l., 1590.
Seite 116, Oben links. Afrikanischer Inder von Ceffala. **Oben rechts.** Kleidung in Djebel, Königreich in Afrika. **Unten links.**

Página 101, arriba a la izquierda. Infante, 1395. **Arriba a la derecha.** Infante con traje italiano, siglo XV. **Abajo a la izquierda.** Infante en 1440. **Abajo a la derecha.** Armadura, fin del siglo XIV. **en el centro.** Hombres armados, fin del siglo XIV. Viollet-le-Duc, *Dictionnaire raisonné du mobilier francés,* París, 1873, tomo 5.
Página 102, arriba a la izquierda. Hondero del rey de Castilla. **Arriba a la derecha.** Armadura, calzas de Flandes, fin del siglo XIV. **Abajo a la izquierda.** Caballero abrazando el escudo. **Abajo a la derecha.** Hombre armado, siglo XIV. Viollet-le-Duc, *Dictionnaire raisonné du mobilier francés,* París, 1873, tomo 5.
Página 103. Hombre armado, siglo XIV. Viollet-le-Duc, *Dictionnaire raisonné du mobilier francés,* París, 1873, tomo 5.
Página 104, a la izquierda. Armadura francesa, siglo XV. **A la derecha.** Armadura maximiliana, fin del siglo XV. Viollet-le-Duc, *Dictionnaire raisonné du mobilier francés,* París, 1873, tomo 5.
Página 105. Turco de alta condición. Cesare Vecellio, *Degli abiti antichi e moderni di diverse parti del mondo,* s.l., 1590.
Página 106, arriba a la izquierda. Traje del Turco mayor. **Arriba a la derecha.** Traje de mufti. **Abajo a la izquierda.** Aga, general de los jenízaros. **Abajo a la izquierda.** Bacha, uno de los jefes de los jenízaros. Cesare Vecellio, *Degli abiti antichi e moderni di diverse parti del mondo,* s.l., 1590.
Página 107, arriba a la izquierda. Cadilesker. **Abajo a la izquierda.** Portero del señor mayor, llamado Capugi. **Arriba a la derecha.** Mujer turca en su casa. **Abajo a la derecha.** Mujer turca fuera de su casa. Cesare Vecellio, *Degli abiti antichi e moderni di diverse parti del mondo,* s.l., 1590.
Página 108. Modo de cabalgar de los Turcos cuándo llueve. Cesare Vecellio, *Degli abiti antichi e moderni di diverse parti del mondo,* s.l., 1590.
Página 109, a la derecha. Mujer turca del pueblo. **Arriba a la izquierda.** La favorita del sultán. **Abajo a la izquierda.** Mujer del serrallo. Cesare Vecellio, *Degli abiti antichi e moderni di diverse parti del mondo,* s.l., 1590.
Página 110, arriba a la izquierda. Jopeg, bombardero. **Arriba en el centro.** Bravo de los Kassim. **Arriba a la derecha.** Adjemioglanos. **Abajo a la izquierda.** Azape, arquero de galera. **Abajo a la derecha.** Esclavo y paje del sultán. Cesare Vecellio, *Degli abiti antichi e moderni di diverse parti del mondo,* s.l., 1590.
Página 111. Soldado etíope. Cesare Vecellio, *Degli abiti antichi e moderni di diverse parti del mondo,* s.l., 1590.
Página 112, a la izquierda. Noble etíope. **A la derecha.** Virgen etíope. Cesare Vecellio, *Degli abiti antichi e moderni di diverse parti del mondo,* s.l., 1590.
Página 113, arriba a la izquierda. Mujer del Cairo. **Arriba en el centro.** Traje de Campson Gauri, sultán mayor del Cairo. **Arriba a la derecha.** Mujer turca. **Abajo a la izquierda.** Almirantes y consejeros del sultán mayor. **Abajo a la derecha.** Moro noble del Cairo. Cesare Vecellio, *Degli abiti antichi e moderni di diverse parti del mondo,* s.l., 1590.
Página 114, a la izquierda. Cristiano indio en El Cairo. **Arriba a la derecha.** Moro de alta condición. **Abajo a la derecha.** Beglerberg de Anatolia. Cesare Vecellio, *Degli abiti antichi e moderni di diverse parti del mondo,* s.l., 1590.
Página 115. Bravo turco, llamado Roncassi. Cesare Vecellio, *Degli abiti antichi e moderni di diverse parti del mondo,* s.l., 1590.
Página 116, arriba a la izquierda. Indio africano de Ceffala. **Arriba a la derecha.** Traje del Djebel, reino de Africa. **Abajo a**

the sultan's guard. **Bottom right.** Indian of Africa. Cesare Vecellio, *Degli abiti antichi e moderni di diverse parti del mondo,* n.p., 1590.
Page 117, left. Peich, the sultan's lackey. **Right.** Janissary. **Center.** Slave of the Bachas. Cesare Vecellio, *Degli abiti antichi e moderni di diverse parti del mondo,* n.p., 1590.
Page 118, top left. Patriarch of Constantinople. **Center.** Seichir or Mohammedan monk. **Top right.** Dervich. **Bottom left.** Greek religious man. **Bottom right.** Frank of Constantinople. Cesare Vecellio, *Degli abiti antichi e moderni di diverse parti del mondo,* n.p., 1590.
Page 119, left. Turkish pirate. **Top right.** Turkish servant. **Bottom right.** Greek nobleman. Cesare Vecellio, *Degli abiti antichi e moderni di diverse parti del mondo,* n.p., 1590.
Page 120, left. Caramanian woman in Constantinople. **Right.** Old fashioned Caramanian noblewoman. Cesare Vecellio, *Degli abiti antichi e moderni di diverse parti del mondo,* n.p., 1590.
Page 121, top left. Greek woman living under the domination of the Republic of Venice. **Top right.** Sfakiote or peasant of the island of Candia. **Bottom left.** Greek bride of Pera. **Bottom right.** Greek woman of Pera. Cesare Vecellio, *Degli abiti antichi e moderni di diverse parti del mondo,* n.p., 1590.
Page 122, left. Woman of Mytilene. **Right.** Young noble Macedonian girl. **Center.** Courtier of Rhodes. Cesare Vecellio, *Degli abiti antichi e moderni di diverse parti del mondo,* n.p., 1590.
Page 123, left. Grand Kan of the Tartars. **Right.** Tartar soldier. Cesare Vecellio, *Degli abiti antichi e moderni di diverse parti del mondo,* n.p., 1590.
Page 124. Costume of the Canary Islands. Cesare Vecellio, *Degli abiti antichi e moderni di diverse parti del mondo,* n.p., 1590.
Page 125, left. African women of inferior rank. **Right.** African women of the kingdom of Tlemcen. **Center.** Modern costume of a Caramanian woman. Cesare Vecellio, *Degli abiti antichi e moderni di diverse parti del mondo,* n.p., 1590.
Page 126, top left. Caramanian man of high rank. **Bottom left.** Armenian merchant. **Right.** Costume of a Caramanian woman. Cesare Vecellio, *Degli abiti antichi e moderni di diverse parti del mondo,* n.p., 1590.
Page 127, left. Woman of Lower Armenia. **Right.** Chaste Armenian woman. Cesare Vecellio, *Degli abiti antichi e moderni di diverse parti del mondo,* n.p., 1590.
Page 128, left. Armenian of high rank. **Center.** Costume of the king of Persia. **Right.** Nobleman of Lower Armenia. Cesare Vecellio, *Degli abiti antichi e moderni di diverse parti del mondo,* n.p., 1590.
Page 129. Georgian costumes. Cesare Vecellio, *Degli abiti antichi e moderni di diverse parti del mondo,* n.p., 1590.
Page 130, top left. Foot soldier of the Persian army. **Top right.** Woman of Damascus. **Bottom left.** Persian captain. **Bottom right.** Woman of Tripoli. Cesare Vecellio, *Degli abiti antichi e moderni di diverse parti del mondo,* n.p., 1590.
Page 131, top left. Persian woman. **top au centre.** Persian matron. **Top right.** Persian nobleman. **Bottom.** Persian virgins. Cesare Vecellio, *Degli abiti antichi e moderni di diverse parti del mondo,* n.p., 1590.
Page 132, top left. Woman of Beirut. **Top right.** Young girl of Alep. **Center.** Noblewoman of Alep. **Bottom left.** Married Persian woman. **Bottom right.** Syrian matron. Cesare

gauche. Archer de la garde du sultan. **En bas à droite.** Indien d'Afrique. Cesare Vecellio, *Degli abiti antichi e moderni di diverse parti del mondo,* s.l., 1590.
Page 117, à gauche. Peich, laquais du sultan. **À droite.** Janissaire. **Au centre.** Esclave des Bachas. Cesare Vecellio, *Degli abiti antichi e moderni di diverse parti del mondo,* s.l., 1590.
Page 118, en haut à gauche. Patriarche de Constantinople. **Au centre.** Seichir ou santon. **En haut à droite.** Derviche. **En bas à gauche.** Religieux grec. **En bas à droite.** Franc à Constantinople. Cesare Vecellio, *Degli abiti antichi e moderni di diverse parti del mondo,* s.l., 1590.
Page 119, à gauche. Pirate turc. **En haut à droite.** Domestique turc. **En bas à droite.** Noble grec. Cesare Vecellio, *Degli abiti antichi e moderni di diverse parti del mondo,* s.l., 1590.
Page 120, à gauche. Femme de Caramanie, à Constantinople. **À droite.** Ancienne femme noble de Caramanie. Cesare Vecellio, *Degli abiti antichi e moderni di diverse parti del mondo,* s.l., 1590.
Page 121, en haut à gauche. Femme grecque placée sous la domination de la République de Venise. **En haut à droite.** Sfakiote ou paysanne de l'île de Candie. **En bas à gauche.** Épousée grecque de Péra. **En bas à droite.** Femme grecque de Péra. Cesare Vecellio, *Degli abiti antichi e moderni di diverse parti del mondo,* s.l., 1590.
Page 122, à gauche. Femme de Mitylène. **À droite.** Jeune fille noble de Macédoine. **Au centre.** Courtisane de Rhodes. Cesare Vecellio, *Degli abiti antichi e moderni di diverse parti del mondo,* s.l., 1590.
Page 123, à gauche. Grand Kan des Tartares. **À droite.** Soldat tartare. Cesare Vecellio, *Degli abiti antichi e moderni di diverse parti del mondo,* s.l., 1590.
Page 124. Costume des îles Canaries. Cesare Vecellio, *Degli abiti antichi e moderni di diverse parti del mondo,* s.l., 1590.
Page 125, à gauche. Africaine de condition inférieure. **À droite.** Africaine du royaume de Tlemcen. **Au centre.** Costume moderne de femme de Caramanie. Cesare Vecellio, *Degli abiti antichi e moderni di diverse parti del mondo,* s.l., 1590.
Page 126, en haut à gauche. Caramanien de condition. **En bas à gauche.** Marchand arménien. **À droite.** Costume de femme de Caramanie. Cesare Vecellio, *Degli abiti antichi e moderni di diverse parti del mondo,* s.l., 1590.
Page 127, à gauche. Femme d'Arménie inférieure. **À droite.** Arménienne chaste. Cesare Vecellio, *Degli abiti antichi e moderni di diverse parti del mondo,* s.l., 1590.
Page 128, à gauche. Arménien de haute condition. **Au centre.** Costume du roi de Perse. **À droite.** Noble d'Arménie inférieure. Cesare Vecellio, *Degli abiti antichi e moderni di diverse parti del mondo,* s.l., 1590.
Page 129. Costume des Géorgiens. Cesare Vecellio, *Degli abiti antichi e moderni di diverse parti del mondo,* s.l., 1590.
Page 130, en haut à gauche. Fantassin de l'armée persane. **En haut à droite.** Femme de Damas. **En bas à gauche.** Capitaine persan. **En bas à droite.** Femme de Tripoli. Cesare Vecellio, *Degli abiti antichi e moderni di diverse parti del mondo,* s.l., 1590.
Page 131, en haut à gauche. Femme persane. **En haut au centre.** Matrone persane. **En haut à droite.** Noble persan. **En bas.** Vierges persanes. Cesare Vecellio, *Degli abiti antichi e moderni di diverse parti del mondo,* s.l., 1590.
Page 132, en haut à gauche. Femme de Béryte. **En haut à droite.** Jeune fille d'Alep. **Au centre.** Femme noble d'Alep. **En bas à gauche.** Femme mariée de Perse. **En bas à droite.** Matrone

Bogenschütze der Leibgarde des Sultans. **Unten rechts.** Afrikanischer Inder. Cesare Vecellio, *Degli abiti antichi e moderni di diverse parti del mondo,* s.l., 1590.
Seite 117, Links. Peich, Lakai des Sultans. **Rechts.** Janissare. **Mitte.** Sklave der Bachas. Cesare Vecellio, *Degli abiti antichi e moderni di diverse parti del mondo,* s.l., 1590.
Seite 118, Oben links. Patriarch von Konstantinopel. **Mitte.** Seichir oder Santos. **Oben rechts.** Derviche. **Unten links.** Religiöser Grieche. **Unten rechts.** Franke in Konstantinopel. Cesare Vecellio, *Degli abiti antichi e moderni di diverse parti del mondo,* s.l., 1590.
Seite 119, links. Türkischer Pirat. **Oben rechts.** Türke bei sich zu Hause. **Unten rechts.** Griechischer Edelmann. Cesare Vecellio, *Degli abiti antichi e moderni di diverse parti del mondo,* s.l., 1590.
Seite 120, Links. Frau eines Caramanie, in Konstantinopel. **Rechts.** Edeldame eines Caramanie. Cesare Vecellio, *Degli abiti antichi e moderni di diverse parti del mondo,* s.l., 1590.
Seite 121, Oben links. Griechische Frau unter den Regeln der Republik von Venedig lebend. **Oben rechts.** Sfakiote ou Bauer de Insel Candie. **Unten links.** Griechische Ehefrau von Pera. **Unten rechts.** Griechische Frau von Pera. Cesare Vecellio, *Degli abiti antichi e moderni di diverse parti del mondo,* s.l., 1590.
Seite 122, Links. Frau von Mitylene. **Rechts.** Junge Edeldame von Mazedonien. **Mitte.** Courtier von Rhodes. Cesare Vecellio, *Degli abiti antichi e moderni di diverse parti del mondo,* s.l., 1590.
Seite 123, Links. Großer Kan der Tartaren. **Rechts.** Tatarensoldat. Cesare Vecellio, *Degli abiti antichi e moderni di diverse parti del mondo,* s.l., 1590.
Seite 124. Kleidungsstil der Kanarischen Inseln. Cesare Vecellio, *Degli abiti antichi e moderni di diverse parti del mondo,* s.l., 1590.
Seite 125, Links. Afrikanerin unter niedrigen Lebensverhältnissen lebend. **Rechts.** Afrikanerin des Königreichs der Tlemcen. **Mitte.** Kleidung einer modernen Frau von Caramanien. Cesare Vecellio, *Degli abiti antichi e moderni di diverse parti del mondo,* s.l., 1590.
Seite 126, Oben links. Caramanier unter gehobenen Lebensverhältnissen lebend. **Unten links.** Armenischer Händler. **Rechts.** Kleidung der Frauen von Caramanien. Cesare Vecellio, *Degli abiti antichi e moderni di diverse parti del mondo,* s.l., 1590.
Seite 127, Links. Armenische Frau unter niedrigen Lebensverhältnissen lebend. **Rechts.** Armenierin. Cesare Vecellio, *Degli abiti antichi e moderni di diverse parti del mondo,* s.l., 1590.
Seite 128, Links. Armenier unter gehobenen Lebensverhältnissen lebend. **Mitte.** Kleidung des Königs von Persien. **Rechts.** Armenischer Edelmann unter ärmeren Lebensverhältnissen lebend. Cesare Vecellio, *Degli abiti antichi e moderni di diverse parti del mondo,* s.l., 1590.
Seite 129. Georgische Kleidung. Cesare Vecellio, *Degli abiti antichi e moderni di diverse parti del mondo,* s.l., 1590.
Seite 130, Oben links. Fußsoldat der persischen Armee. **Oben rechts.** Frau von Damaskus. **Unten links.** Persischer Kapitän. **Unten rechts.** Frau von Tripolis. Cesare Vecellio, *Degli abiti antichi e moderni di diverse parti del mondo,* s.l., 1590.
Seite 131, Oben links. Persische Frau. **Oben Mitte.** Persische Matrone. **Oben rechts.** Persischer Edelmann. **Unten.** Persischer Jüngling. Cesare Vecellio, *Degli abiti antichi e moderni di diverse parti del mondo,* s.l., 1590.
Seite 132, Oben links. Frau von Beryte. **Oben rechts.** Junges Mädchen von Alep. Mitte. Edeldame von Alep. **Unten links.** Verheiratete persische Frau. **Unten rechts.** Syrische Matrone.

la izquierda. Arquero de la guardia del sultán. **Abajo a la derecha.** Indio de Africa. Cesare Vecellio, *Degli abiti antichi e moderni di diverse parti del mondo,* s.l., 1590.
Página 117, a la izquierda. Peich, lacayo del sultán. **A la derecha.** Jenízaro. **En el centro.** Esclavo de las Bachas. Cesare Vecellio, *Degli abiti antichi e moderni di diverse parti del mondo,* s.l., 1590.
Página 118, arriba a la izquierda. Patriarca de Constantinopla. **En el centro.** Seichir o santón. **Arriba a la derecha.** Derviche. **Abajo a la izquierda.** Religioso griego. **Abajo a la derecha.** Franco en Constantinopla. Cesare Vecellio, *Degli abiti antichi e moderni di diverse parti del mondo,* s.l., 1590.
Página 119, a la izquierda. Pirata turco. **Arriba a la derecha.** Doméstico turco. **Abajo a la derecha.** Noble griego. Cesare Vecellio, *Degli abiti antichi e moderni di diverse parti del mondo,* s.l., 1590.
Página 120, a la izquierda. Mujer de Caramania, en Constantinopla. **A la derecha.** Antigua noble de Caramania. Cesare Vecellio, *Degli abiti antichi e moderni di diverse parti del mondo,* s.l., 1590.
Página 121, arriba a la izquierda. Griega bajo la República de Venecia. **Arriba a la derecha.** Sfakiote o campesina de la isla de Candia. **Abajo a la izquierda.** Casada griega de Pera. **Abajo a la derecha.** Griega de Pera. Cesare Vecellio, *Degli abiti antichi e moderni di diverse parti del mondo,* s.l., 1590.
Página 122, a la izquierda. Mujer Mitylena. **A la derecha.** Joven noble de Macedonia. **En el centro.** Cortesana de Rodas. Cesare Vecellio, *Degli abiti antichi e moderni di diverse parti del mondo,* s.l., 1590.
Página 123, a la izquierda. Kan mayor de los Tártaros. **A la derecha.** Soldado tártaro. Cesare Vecellio, *Degli abiti antichi e moderni di diverse parti del mondo,* s.l., 1590.
Página 124. Traje de las islas Canarias. Cesare Vecellio, *Degli abiti antichi e moderni di diverse parti del mondo,* s.l., 1590.
Página 125, a la izquierda. Africana del pueblo. **A la derecha.** Africana del reino de Tlemcen. **En el centro.** Traje moderno de mujer de Caramania. Cesare Vecellio, *Degli abiti antichi e moderni di diverse parti del mondo,* s.l., 1590.
Página 126, arriba a la izquierda. Caramaniano de alta condición. **Abajo a la izquierda.** Vendedor armenio. **A la derecha.** Traje de mujer de Caramania. Cesare Vecellio, *Degli abiti antichi e moderni di diverse parti del mondo,* s.l., 1590.
Página 127, a la izquierda. Mujer de Armenia inferior. **A la derecha.** Armenia casta. Cesare Vecellio, *Degli abiti antichi e moderni di diverse parti del mondo,* s.l., 1590.
Página 128, a la izquierda. Armenio de alta condición. **En el centro.** Traje del rey de Persa. **A la derecha.** Noble de Armenia inferior. Cesare Vecellio, *Degli abiti antichi e moderni di diverse parti del mondo,* s.l., 1590.
Página 129. Traje de los Georgianos. Cesare Vecellio, *Degli abiti antichi e moderni di diverse parti del mondo,* s.l., 1590.
Página 130, arriba a la izquierda. Infante del ejército perso. **Arriba a la derecha.** Mujer de Damasco. **Abajo a la izquierda.** Capitán perso. **Abajo a la derecha.** Mujer de Trípoli. Cesare Vecellio, *Degli abiti antichi e moderni di diverse parti del mondo,* s.l., 1590.
Página 131, arriba a la izquierda. Mujer persa. **arriba en el centro.** Matrona persa. **Arriba a la derecha.** Noble perso. **Abajo.** Vírgenes persas. Cesare Vecellio, *Degli abiti antichi e moderni di diverse parti del mondo,* s.l., 1590.
Página 132, arriba a la izquierda. Mujer de Beryte. **Arriba a la derecha.** Joven de Alepo. **En el centro.** Mujer noble de Alepo. **Abajo a la izquierda.** Mujer casada Persa. **Abajo a la derecha.**

Vecellio, *Degli abiti antichi e moderni di diverse parti del mondo,* n.p., 1590.
Page 133, left. Married Syrian woman. **Top right.** Indian woman of inferior rank. **Bottom right.** Greek woman of Syria. Cesare Vecellio, *Degli abiti antichi e moderni di diverse parti del mondo,* n.p., 1590.
Page 134, top left. Indian woman of oriental condition. **Top right.** Oriental bohemian or wandering woman. **Bottom left.** Chinese noble matron. Cesare Vecellio, *Degli abiti antichi e moderni di diverse parti del mondo,* n.p., 1590.
Page 135, left. Costumes of the Arabian deserts. **Right.** Arab living in the Arabian desert. Cesare Vecellio, *Degli abiti antichi e moderni di diverse parti del mondo,* n.p., 1590.
Page 136, top left. Young girl from the Arabian desert. **left au centre.** Women of the Spice Islands. **Bottom left.** Chinese noblewoman. **Top right.** Arabian woman. **Bottom right.** Chinese man of inferior condition. Cesare Vecellio, *Degli abiti antichi e moderni di diverse parti del mondo,* n.p., 1590.
Page 137, left. Arabian nobleman. **Right.** Indian. **Center.** Mameluke. Cesare Vecellio, *Degli abiti antichi e moderni di diverse parti del mondo,* n.p., 1590.
Page 138. Young African girl from India. Cesare Vecellio, *Degli abiti antichi e moderni di diverse parti del mondo,* n.p., 1590.
Page 139, top left. Macedonian matron. **Top right.** Young Japanese. **Bottom left.** Thessalonian bride. **Bottom right.** Sfak man from the island of Candia. Cesare Vecellio, *Degli abiti antichi e moderni di diverse parti del mondo,* n.p., 1590.
Page 140, left. African woman. **Right.** Costume of a black Moor from Zanzibar, Africa. Cesare Vecellio, *Degli abiti antichi e moderni di diverse parti del mondo,* n.p., 1590.
Page 141. Black Moor of Africa. Cesare Vecellio, *Degli abiti antichi e moderni di diverse parti del mondo,* n.p., 1590.
Page 142, top left. Peruvian. **Top center and right.** Peruvian soldier. **Bottom.** Description of Virginia Island and its idol. Cesare Vecellio, *Degli abiti antichi e moderni di diverse parti del mondo,* n.p., 1590.
Page 143, top left. Costume of Mexican women. **Top right.** Costume of Peruvian women. **Bottom left.** Young Mexican. **Bottom right.** Mexican nobleman. Cesare Vecellio, *Degli abiti antichi e moderni di diverse parti del mondo,* n.p., 1590.
Page 144, left. Costumes of the king and queen of Florida. **Right.** Nobleman of Cuzco. Cesare Vecellio, *Degli abiti antichi e moderni di diverse parti del mondo,* n.p., 1590.
Page 145, top left. Prince of Virginia Island. **Top right.** Man of Virginia Island. **Center.** Chief of the Floridian army. **Bottom left.** Costume of the Secot priestsof Virginia Island. **Bottom right.** Costume of women from Virginia Island. Cesare Vecellio, *Degli abiti antichi e moderni di diverse parti del mondo,* n.p., 1590.
Page 146. Costume of Floridian pages. Cesare Vecellio, *Degli abiti antichi e moderni di diverse parti del mondo,* n.p., 1590.
Page 147, top left. Costume of soldier and captain of Florida Island. **Bottom left.** Costume of matrons and young girls of Florida Island. **Bottom right.** Costume of the chief of Florida Island. Cesare Vecellio, *Degli abiti antichi e moderni di diverse parti del mondo,* n.p., 1590.
Page 148, top left. Costume of the kingdom of Tlemcen. **Top right.** Noble de Barbarie. **Bottom left.** Prêtre. **Bottom right.**

syrienne. Cesare Vecellio, *Degli abiti antichi e moderni di diverse parti del mondo,* s.l., 1590.
Page 133, à gauche. Syrienne mariée. **En haut à droite.** Indienne de médiocre condition. **En bas à droite.** Femme grecque de Syrie. Cesare Vecellio, *Degli abiti antichi e moderni di diverse parti del mondo,* s.l., 1590.
Page 134, en haut à gauche. Indienne de condition orientale. **En haut à droite.** Bohémienne orientale, ou femme errante. **En bas à gauche.** Noble matrone chinoise. Cesare Vecellio, *Degli abiti antichi e moderni di diverse parti del mondo,* s.l., 1590.
Page 135, à gauche. Costumes du désert d'Arabie. **À droite.** Arabe vivant dans le désert d'Arabie. Cesare Vecellio, *Degli abiti antichi e moderni di diverse parti del mondo,* s.l., 1590.
Page 136, en haut à gauche. Jeune fille du désert d'Arabie. **À gauche au centre.** Femme des îles Moluques. **En bas à gauche.** Noble chinois . **En haut à droite.** Femme arabe. **En bas à droite.** Chinois de condition inférieure. Cesare Vecellio, *Degli abiti antichi e moderni di diverse parti del mondo,* s.l., 1590.
Page 137, à gauche. Noble arabe. **À droite.** Indien. **Au centre.** Mamelouk. Cesare Vecellio, *Degli abiti antichi e moderni di diverse parti del mondo,* s.l., 1590.
Page 138. Jeune fille africaine en Inde. Cesare Vecellio, *Degli abiti antichi e moderni di diverse parti del mondo,* s.l., 1590.
Page 139, en haut à gauche. Matrone macédonnienne. **En haut à droite.** Jeune Japonais. **En bas à gauche.** Épousée de Thessalonique. **En bas à droite.** Sfakiote de l'île de Candie. Cesare Vecellio, *Degli abiti antichi e moderni di diverse parti del mondo,* s.l., 1590.
Page 140, à gauche. Africaine. **À droite.** Costume de maure noir de Zanzibar en Afrique. Cesare Vecellio, *Degli abiti antichi e moderni di diverse parti del mondo,* s.l., 1590.
Page 141. Maure noir d'Afrique. Cesare Vecellio, *Degli abiti antichi e moderni di diverse parti del mondo,* s.l., 1590.
Page 142, en haut à gauche. Péruvien. **En haut au centre et à droite.** Soldat péruvien. **En bas.** Description de l'île Virginie et de son idole. Cesare Vecellio, *Degli abiti antichi e moderni di diverse parti del mondo,* s.l., 1590.
Page 143, en haut à gauche. Costume des femmes mexicaines. **En haut à droite.** Costume des femmes péruviennes. **En bas à gauche.** Jeune mexicain. **En bas à droite.** Noble mexicain. Cesare Vecellio, *Degli abiti antichi e moderni di diverse parti del mondo,* s.l., 1590.
Page 144, à gauche. Costumes du roi et de la reine de Floride. **À droite.** Noble de Cuzco. Cesare Vecellio, *Degli abiti antichi e moderni di diverse parti del mondo,* s.l., 1590.
Page 145, en haut à gauche. Prince de l'île de Virginie. **En haut à droite.** Homme de l'île de Virginie. **Au centre.** Chef de l'armée de Floride. **En bas à gauche.** Costume des prêtres sécotiens de l'île de Virginie. **En bas à droite.** Costume des femmes de l'île de Virginie. Cesare Vecellio, *Degli abiti antichi e moderni di diverse parti del mondo,* s.l., 1590.
Page 146. Costume des pages de Floride. Cesare Vecellio, *Degli abiti antichi e moderni di diverse parti del mondo,* s.l., 1590.
Page 147, en haut à gauche. Costume de soldat et de capitaine de l'île de Floride. **En bas à gauche.** Costume des matrones et des jeunes filles de l'île de Floride. **En bas à droite.** Costume de chef de l'île de Floride. Cesare Vecellio, *Degli abiti antichi e moderni di diverse parti del mondo,* s.l., 1590.
Page 148, en haut à gauche. Costume du royaume de Tlemcen. **En haut à droite.** Noble de Barbarie. **En bas à gauche.** Prêtre.

Cesare Vecellio, *Degli abiti antichi e moderni di diverse parti del mondo,* s.l., 1590.
Seite 133, Links. Verheiratete syrische Frau. **Oben rechts.** Inderin von unzulänglicher Stellung. **Unten rechts.** Griechische Frau in Syrien. Cesare Vecellio, *Degli abiti antichi e moderni di diverse parti del mondo,* s.l., 1590.
Seite 134, Oben links. Inderin unter orientalischen Lebensverhältnissen. **Oben rechts.** Orientalische Boheme oder unruhige Frau. **Unten links.** Chinesische Edelmatrone. Cesare Vecellio, *Degli abiti antichi e moderni di diverse parti del mondo,* s.l., 1590.
Seite 135, Links. Kleidung der arabischen Deserte. **Rechts.** Araber der angrenzendenden arabischen Deserte. Cesare Vecellio, *Degli abiti antichi e moderni di diverse parti del mondo,* s.l., 1590.
Seite 136, Oben links. Junges Mädchen der arabischen Deserte. **Links und Mitte.** Frauen der Inseln Moluques. **Unten links.** Chinesische Edeldame. **Oben rechts.** Arabische Frau. **Unten rechts.** Chinese unter niedrigen Lebensverhältnissen. Cesare Vecellio, *Degli abiti antichi e moderni di diverse parti del mondo,* s.l., 1590.
Seite 137, Links. Arabischer Edelmann. **Rechts.** Inder. **Mitte.** Mamelouk. Cesare Vecellio, *Degli abiti antichi e moderni di diverse parti del mondo,* s.l., 1590.
Seite 138. Junges afrikanisches Mädchen in Indien. Cesare Vecellio, *Degli abiti antichi e moderni di diverse parti del mondo,* s.l., 1590.
Seite 139, Oben links. Mazedonische Matrone. **Oben rechts.** Junger Japaner. **Unten links.** Thessalonische Ehefrau. **Unten rechts.** Sfakiote der Insel Candia. Cesare Vecellio, *Degli abiti antichi e moderni di diverse parti del mondo,* s.l., 1590.
Seite 140, Links. Afrikanerin. **Rechts.** Kleidung der schwarzen Mauren von Zanzibar in Afrika. Cesare Vecellio, *Degli abiti antichi e moderni di diverse parti del mondo,* s.l., 1590.
Seite 141. Schwarzer Maure in Afrika. Cesare Vecellio, *Degli abiti antichi e moderni di diverse parti del mondo,* s.l., 1590.
Seite 142, Oben links. Peruvier. **Oben Mitte und rechts.** Peruvienischer Soldat. **Unten.** Bewohner der Insel Virginia und sein Idol. Cesare Vecellio, *Degli abiti antichi e moderni di diverse parti del mondo,* s.l., 1590.
Seite 143, Oben links. Kleidung mexikanischer Frauen. **Oben rechts.** Kleidung peruvienischer Frauen. **Unten links.** Junger Mexikaner. **Unten rechts.** Mexikanischer Edelmann. Cesare Vecellio, *Degli abiti antichi e moderni di diverse parti del mondo,* s.l., 1590.
Seite 144, Links. Kleidung des Königs und der Königin von Florida. **Rechts.** Edeldame von Cuzco. Cesare Vecellio, *Degli abiti antichi e moderni di diverse parti del mondo,* s.l., 1590.
Seite 145, Oben links. Prinz der Insel Virginia. **Oben rechts.** Einwohner der Insel Virginia. **Mitte.** Oberster Chef der Armee in Florida. **Unten links.** Kleidung eines secotischer Priesters der Insel Virginia. **Unten rechts.** Kleidung der Frauen der Insel Virginia. Cesare Vecellio, *Degli abiti antichi e moderni di diverse parti del mondo,* s.l., 1590.
Seite 146. Kleidung der Pagen in Florida. Cesare Vecellio, *Degli abiti antichi e moderni di diverse parti del mondo,* s.l., 1590.
Seite 147, Oben links. Kleidung von Soldaten und Kapitän von Florida. **Unten links.** Kleidung der Matronen und jungen Mädchen Floridas. **Unten rechts.** Kleidung der Direktion der Insel Florida. Cesare Vecellio, *Degli abiti antichi e moderni di diverse parti del mondo,* s.l., 1590.
Seite 148, Oben links. Kleidung im Königreich Tlemcen. **Oben rechts.** Edelmann der Babarie. **Unten links.** Priester. **Unten**

Matrona siria. Cesare Vecellio, *Degli abiti antichi e moderni di diverse parti del mondo,* s.l., 1590.
Página 133, a la izquierda. Mujer casada siria. **Arriba a la derecha.** India de baja condición. **Abajo a la derecha.** Mujer griega de Siria. Cesare Vecellio, *Degli abiti antichi e moderni di diverse parti del mondo,* s.l., 1590.
Página 134, arriba a la izquierda. India oriental de alta condición. **Arriba a la derecha.** Bohemia oriental, o mujer errante. **Abajo a la izquierda.** Matrona noble china. Cesare Vecellio, *Degli abiti antichi e moderni di diverse parti del mondo,* s.l., 1590.
Página 135, a la izquierda. Trajes del desierto de Arabia. **A la derecha.** Árabe que está al lado del desierto de Arabia. Cesare Vecellio, *Degli abiti antichi e moderni di diverse parti del mondo,* s.l., 1590.
Página 136, arriba a la izquierda. Joven del desierto de Arabia. **A la izquierda en el centro.** Mujer de las islas Molucas. **Abajo a la izquierda.** Noble chino. **Arriba a la derecha.** Mujer árabe. **Abajo a la derecha.** Chino de condición inferior. Cesare Vecellio, *Degli abiti antichi e moderni di diverse parti del mondo,* s.l., 1590.
Página 137, a la izquierda. Noble árabe. **A la derecha.** Indio. **en el centro.** Mameluco. Cesare Vecellio, *Degli abiti antichi e moderni di diverse parti del mondo,* s.l., 1590.
Página 138. Africana joven en India. Cesare Vecellio, *Degli abiti antichi e moderni di diverse parti del mondo,* s.l., 1590.
Página 139, arriba a la izquierda. Matrona de Macedonia. **Arriba a la derecha.** Japonés joven. **Abajo a la izquierda.** Casada de Tesalónica. **Abajo a la derecha.** Sfakiote de la Isla de Candia. Cesare Vecellio, *Degli abiti antichi e moderni di diverse parti del mondo,* s.l., 1590.
Página 140, a la izquierda. Africana. **A la derecha.** Traje de moro negro de Zanzíbar en Africa. Cesare Vecellio, *Degli abiti antichi e moderni di diverse parti del mondo,* s.l., 1590.
Página 141. Moro negro africano. Cesare Vecellio, *Degli abiti antichi e moderni di diverse parti del mondo,* s.l., 1590.
Página 142, arriba a la izquierda. Peruano. **Arriba en el centro y a la derecha.** Soldado peruano. **Abajo.** Descripción de la isla Virginia y de su ídolo. Cesare Vecellio, *Degli abiti antichi e moderni di diverse parti del mondo,* s.l., 1590.
Página 143, arriba a la izquierda. Traje des las mexicanas. **Arriba a la derecha.** Traje des las peruanas. **Abajo a la izquierda.** Mexicano joven. **Abajo a la derecha.** Mexicano noble . Cesare Vecellio, *Degli abiti antichi e moderni di diverse parti del mondo,* s.l., 1590.
Página 144, a la izquierda. Trajes del rey y de la reina de Florida. **A la derecha.** Noble de Cuzco. Cesare Vecellio, *Degli abiti antichi e moderni di diverse parti del mondo,* s.l., 1590.
Página 145, arriba a la izquierda. Príncipe de la isla de Virginia. **Arriba a la derecha.** Hombre de la isla de Virginia. **En el centro.** Comandante del ejército de Florida. **Abajo a la izquierda.** Traje des los sacerdotes de la isla de Virginia. **Abajo a la derecha.** Traje des las mujeres de la isla de Virginia. Cesare Vecellio, *Degli abiti antichi e moderni di diverse parti del mondo,* s.l., 1590.
Página 146. Traje de los pajes de Florida. Cesare Vecellio, *Degli abiti antichi e moderni di diverse parti del mondo,* s.l., 1590.
Página 147, arriba a la izquierda. Traje de soldado y de capitán de la isla de Florida. **Abajo a la izquierda.** Traje de las matronas y de las jóvenes de la isla de Florida. **Abajo a la derecha.** Traje de jefe de la isla de Florida. Cesare Vecellio, *Degli abiti antichi e moderni di diverse parti del mondo,* s.l., 1590.
Página 148, arriba a la izquierda. Traje del reino de Tlemcen. **Arriba a la derecha.** Noble de Barbaria. **Abajo a la izquierda.**

Priest's page. Cesare Vecellio, *Degli abiti antichi e moderni di diverse parti del mondo,* n.p., 1590.
Page 149, top left. Costume of a Transylvanian prince. **Top center.** Croatian costume. **Top right.** Costume of Hungarian and Croatian nobles. **Bottom left.** Hungarian costume. **Bottom right.** Slavonian or Dalmatian man. Cesare Vecellio, *Degli abiti antichi e moderni di diverse parti del mondo,* n.p., 1590.
Page 150, top left. Moorish virgin. **Top right.** Dalmatian woman of Cherso. **Bottom left.** Young girl of Ragusa. **Bottom right.** Slavonian or Dalmatian woman. Cesare Vecellio, *Degli abiti antichi e moderni di diverse parti del mondo,* n.p., 1590.
Page 152. Peasant of Cividale de Belune. Cesare Vecellio, *Degli abiti antichi e moderni di diverse parti del mondo,* n.p., 1590.
Page 151, left. Costume of Prester John. **Right.** Chief of the Uskoks. Cesare Vecellio, *Degli abiti antichi e moderni di diverse parti del mondo,* n.p., 1590.
Page 153. Peasant of the vicinty of Venice. Cesare Vecellio, *Degli abiti antichi e moderni di diverse parti del mondo,* n.p., 1590.
Page 154, top left. Peasant girl of the Treviso borderlands. **Top right.** Young Tuscan peasant girl. **Bottom left.** Young peasant bridegroom. **Bottom right.** Costume of Florentine peasants. Cesare Vecellio, *Degli abiti antichi e moderni di diverse parti del mondo,* n.p., 1590.
Page 155, Right and top left. Brides of Laaland. **Bottom left.** Young girl of Laaland. Cesare Vecellio, *Degli abiti antichi e moderni di diverse parti del mondo,* n.p., 1590.
Page 156, top left. Woman of the North. **Top right.** Noble Norwegian brides. **Left center.** Norwegian Costume. **Bottom left.** Man of the North on a journey. **Bottom right.** Peasant of the Roman territory. Cesare Vecellio, *Degli abiti antichi e moderni di diverse parti del mondo,* n.p., 1590.
Page 157, left. Costume of Grenada women. **Right.** Young girl of Grenada. Cesare Vecellio, *Degli abiti antichi e moderni di diverse parti del mondo,* n.p., 1590.
Page 158. Costume of the members of the Calza. Cesare Vecellio, *Degli abiti antichi e moderni di diverse parti del mondo,* n.p., 1590.
Page 159. Man of Biarmia. Cesare Vecellio, *Degli abiti antichi e moderni di diverse parti del mondo,* n.p., 1590.
Page 160. Right and bottom left. Men of Scrifinnia. **Top left.** Laplander costume. Cesare Vecellio, *Degli abiti antichi e moderni di diverse parti del mondo,* n.p., 1590.
Page 161, left. Moscovite Noble and ambassador. **Right.** Moscovite woman. Cesare Vecellio, *Degli abiti antichi e moderni di diverse parti del mondo,* n.p., 1590.
Page 162, top left. Moscovite soldier on horseback. **Top right.** Armed Moscovite on foot. **Center.** Femme de l'île d'Ischia. **Bottom left.** Christian women of the North. **Bottom right.** Laplander bride. Cesare Vecellio, *Degli abiti antichi e moderni di diverse parti del mondo,* n.p., 1590.
Page 163. Woman of Biarmia. Cesare Vecellio, *Degli abiti antichi e moderni di diverse parti del mondo,* n.p., 1590.
Page 164, left. Noblewoman of Livonia. **Right.** Woman of Livonia. Cesare Vecellio, *Degli abiti antichi e moderni di diverse parti del mondo,* n.p., 1590.
Page 165, left. Porter or Bastagi of Venice. **Center.** Young country girls and craftsmen's wives of Parma.
Right. Alsatian. Cesare Vecellio, *Degli abiti antichi e moderni di diverse parti del mondo,* n.p., 1590.

En bas à droite. Page du prêtre. Cesare Vecellio, *Degli abiti antichi e moderni di diverse parti del mondo,* s.l., 1590.
Page 149, en haut à gauche. Costume de prince transylvanien. **En haut au centre.** Costume croate. **En haut à droite.** Costume de noble hongrois et croate. **En bas à gauche.** Costume Hongrois. **En bas à droite.** Slavon ou Dalmate. Cesare Vecellio, *Degli abiti antichi e moderni di diverse parti del mondo,* s.l., 1590.
Page 150, en haut à gauche. Vierge maure. **En haut à droite.** Femme dalmate de Cherso. **En bas à gauche.** Jeune fille de Raguse. **En bas à droite.** Femme dalmate ou slavonne. Cesare Vecellio, *Degli abiti antichi e moderni di diverse parti del mondo,* s.l., 1590.
Page 152. Paysanne de Cividale de Belune. Cesare Vecellio, *Degli abiti antichi e moderni di diverse parti del mondo,* s.l., 1590.
Page 151, à gauche. Costume du prêtre Jean. **À droite.** Chef des Uscoques. Cesare Vecellio, *Degli abiti antichi e moderni di diverse parti del mondo,* s.l., 1590.
Page 153. Paysanne des environs de Venise. Cesare Vecellio, *Degli abiti antichi e moderni di diverse parti del mondo,* s.l., 1590.
Page 154, en haut à gauche. Paysanne de la Marche Trévisane. **En haut à droite.** Jeune paysanne de la Toscane. **En bas à gauche.** Jeune marié paysan. **En bas à droite.** Costume des paysans de Florence. Cesare Vecellio, *Degli abiti antichi e moderni di diverse parti del mondo,* s.l., 1590.
Page 155, à droite et en haut à gauche. Épousées du Laaland. **En bas à gauche.** Jeune fille du Laaland. Cesare Vecellio, *Degli abiti antichi e moderni di diverse parti del mondo,* s.l., 1590.
Page 156, en haut à gauche. Femme du Nord. **En haut à droite.** Épousées nobles de Norvège. **À gauche au centre.** Costume norvégien. **En bas à gauche.** Homme du Nord en voyage. **En bas à droite.** Paysanne du territoire romain. Cesare Vecellio, *Degli abiti antichi e moderni di diverse parti del mondo,* s.l., 1590.
Page 157, à gauche. Costume de femme de Grenade. **À droite.** Jeune fille de Grenade. Cesare Vecellio, *Degli abiti antichi e moderni di diverse parti del mondo,* s.l., 1590.
Page 158. Costume des compagnons de la calza. Cesare Vecellio, *Degli abiti antichi e moderni di diverse parti del mondo,* s.l., 1590.
Page 159. Homme de Biarmie. Cesare Vecellio, *Degli abiti antichi e moderni di diverse parti del mondo,* s.l., 1590.
Page 160. À droite et en bas, à gauche. Hommes de Scrifinnie. **En haut à gauche.** Costume de lapon. Cesare Vecellio, *Degli abiti antichi e moderni di diverse parti del mondo,* s.l., 1590.
Page 161, à gauche. Noble moscovite et ambassadeur. **À droite.** Femme moscovite. Cesare Vecellio, *Degli abiti antichi e moderni di diverse parti del mondo,* s.l., 1590.
Page 162, en haut à gauche. Soldat moscovite à cheval. **En haut à droite.** Moscovite à pied, armé. **Au centre.** Femme de l'île d'Ischia. **En bas à gauche.** Femme chrétienne du Nord. **En bas à droite.** Épousée de Laponie. Cesare Vecellio, *Degli abiti antichi e moderni di diverse parti del mondo,* s.l., 1590.
Page 163. Femme de Biarmie. Cesare Vecellio, *Degli abiti antichi e moderni di diverse parti del mondo,* s.l., 1590.
Page 164, à gauche. Noble dame de Livonie. **À droite.** Femme de Livonie. Cesare Vecellio, *Degli abiti antichi e moderni di diverse parti del mondo,* s.l., 1590.
Page 165, à gauche. Portefaix ou Bastagi de Venise. **Au centre.** Jeunes filles de la campagne et femmes d'artisans de Parme.
À droite. Alsacien. Cesare Vecellio, *Degli abiti antichi e moderni di diverse parti del mondo,* s.l., 1590.

rechts. Page des Priesters. Cesare Vecellio, *Degli abiti antichi e moderni di diverse parti del mondo,* s.l., 1590.
Seite 149, Oben links. Kleidung des Prinzen von Transsylvanien. **Oben Mitte.** Kroatische Kleidung. **Oben rechts.** Kleidung ungarischer und kroatischer Edelleute. **Unten links.** Ungarischer Kleidungsstil. **Unten rechts.** Sklave oder Dahlmate. Cesare Vecellio, *Degli abiti antichi e moderni di diverse parti del mondo,* s.l., 1590.
Seite 150, Oben links. Maurische Jungfrau. **Oben rechts.** Dahlmatische Frau von Cherso. **Unten links.** Junges Mädchen von Raguse. **Unten rechts.** Dahlmatische Frau oder Sklavin. Cesare Vecellio, *Degli abiti antichi e moderni di diverse parti del mondo,* s.l., 1590.
Seite 152. Bäuerin von Cividale de Belune. Cesare Vecellio, *Degli abiti antichi e moderni di diverse parti del mondo,* s.l., 1590.
Seite 151, Links. Kleidungsstück des Priesters Jean. **Rechts.** Chef der Uskok. Cesare Vecellio, *Degli abiti antichi e moderni di diverse parti del mondo,* s.l., 1590.
Seite 153. Bäuerin der Umgebung von Venedig. Cesare Vecellio, *Degli abiti antichi e moderni di diverse parti del mondo,* s.l., 1590.
Seite 154, Oben links. Bäuerin der "Marche Trevisane". **Oben rechts.** Junge Bäuerin der Toskana. **Unten links.** Junge Bauern in Hochzeitskleidung. **Unten rechts.** Kleidungsstil der Bauern bei Florenz. Cesare Vecellio, *Degli abiti antichi e moderni di diverse parti del mondo,* s.l., 1590.
Seite 155, Rechts und oben links. Ehefrauen von Laaland. **Unten links.** Junges Mädchen von Laaland. Cesare Vecellio, *Degli abiti antichi e moderni di diverse parti del mondo,* s.l., 1590.
Seite 156, Oben links. Frau aus den nördlichen Ländern. **Oben rechts.** Ehefrauen der gehobenen norwegischen Gesellschaft. **Links Mitte.** Norwegischer Kleidungsstil. **Unten links.** Mann aus den nördlichen Ländern auf der Reise sich befindend. **Unten rechts.** Bäuerin der römisch besetzten Regionen. Cesare Vecellio, *Degli abiti antichi e moderni di diverse parti del mondo,* s.l., 1590.
Seite 157, Links. Kleidung der Frauen von Grenada. **Rechts.** Junges Mädchen von Grenada. Cesare Vecellio, *Degli abiti antichi e moderni di diverse parti del mondo,* s.l., 1590.
Seite 158. Kleidung der Gouvernanten der Calza. Cesare Vecellio, *Degli abiti antichi e moderni di diverse parti del mondo,* s.l., 1590.
Seite 159. Biarmischer Mann. Cesare Vecellio, *Degli abiti antichi e moderni di diverse parti del mondo,* s.l., 1590.
Seite 160, Rechts und unten links. Mann von Scrifinnie. **Oben links.** Kleidung von Lapon. Cesare Vecellio, *Degli abiti antichi e moderni di diverse parti del mondo,* s.l., 1590.
Seite 161, Links. Moscovitischer Edelmann und Botschafter. **Rechts.** Moscovitische Frau. Cesare Vecellio, *Degli abiti antichi e moderni di diverse parti del mondo,* s.l., 1590.
Seite 162, Oben links. Moscovitischer Soldat zu Pferd. **Oben rechts.** Moscovitischer Mann zu Fuß, bewaffnet. **Mitte.** Frau de Insel Ischia. **Unten links.** Frau christlicher Konfession aus den nördlichen Ländern. **Unten rechts.** Ehefrau in Lappland. Cesare Vecellio, *Degli abiti antichi e moderni di diverse parti del mondo,* s.l., 1590.
Seite 163. Biarmische Frau. Cesare Vecellio, *Degli abiti antichi e moderni di diverse parti del mondo,* s.l., 1590.
Seite 164, Links. Edeldame aus Livonien. **Rechts.** Frau aus Livonien. Cesare Vecellio, *Degli abiti antichi e moderni di diverse parti del mondo,* s.l., 1590.
Seite 165, Links. Portefaix oder Bastagi von Venedig. **Mitte.** Junge Mädchen aus den ländlichen Gegenden und Frauen von Handwerkern in Parma. **Rechts.** Mann aus dem Elsass. Cesare Vecellio, *Degli abiti antichi e moderni di diverse parti del mondo,* s.l., 1590.

Sacerdote. **Abajo a la derecha.** Paje del sacerdote. Cesare Vecellio, *Degli abiti antichi e moderni di diverse parti del mondo,* s.l., 1590.
Página 149, arriba a la izquierda. Traje de príncipe transilvano. **Arriba en el centro.** Traje croata. **Arriba a la derecha.** Traje de nobles húngaro y croata. **Abajo a la izquierda.** Traje húngaro. **Abajo a la derecha.** Eslavón o Dálmata. Cesare Vecellio, *Degli abiti antichi e moderni di diverse parti del mondo,* s.l., 1590.
Página 150, arriba a la izquierda. Virgen mora. **Arriba a la derecha.** Mujer dálmata de Cherso. **Abajo a la izquierda.** Joven de Ragusa. **Abajo a la derecha.** Mujer dálmata o eslavón. Cesare Vecellio, *Degli abiti antichi e moderni di diverse parti del mondo,* s.l., 1590.
Página 152. Campesina de Cividale de Belune. Cesare Vecellio, *Degli abiti antichi e moderni di diverse parti del mondo,* s.l., 1590.
Página 151, a la izquierda. Traje del sacerdote Juan. **A la derecha.** Jefe de los Uscoques. Cesare Vecellio, *Degli abiti antichi e moderni di diverse parti del mondo,* s.l., 1590.
Página 153. Campesina de los alrededores de Venecia. Cesare Vecellio, *Degli abiti antichi e moderni di diverse parti del mondo,* s.l., 1590.
Página 154, arriba a la izquierda. Campesina de las Marca de Trevisa. **Arriba a la derecha.** Joven campesina toscana. **Abajo a la izquierda.** Joven campesino que se casa. **Abajo a la derecha.** Traje de los campesinos florentinos. Cesare Vecellio, *Degli abiti antichi e moderni di diverse parti del mondo,* s.l., 1590.
Página 155, a la derecha y arriba a la izquierda. Esposadas del Laaland. **Abajo a la izquierda.** Joven del Laaland. Cesare Vecellio, *Degli abiti antichi e moderni di diverse parti del mondo,* s.l., 1590.
Página 156, arriba a la izquierda. Mujer del Norte. **Arriba a la derecha.** Esposadas nobles de Noruega. **A la izquierda en el centro.** Traje noruego. **Abajo a la izquierda.** Hombre del Norte viajando. **Abajo a la derecha.** Campesina del territorio romano. Cesare Vecellio, *Degli abiti antichi e moderni di diverse parti del mondo,* s.l., 1590.
Página 157, a la izquierda. Traje de mujer de Granada. **A la derecha.** Joven de Granada. Cesare Vecellio, *Degli abiti antichi e moderni di diverse parti del mondo,* s.l., 1590.
Página 158. Traje de los compañeros de la calza. Cesare Vecellio, *Degli abiti antichi e moderni di diverse parti del mondo,* s.l., 1590.
Página 159. Hombre de Biarmia. Cesare Vecellio, *Degli abiti antichi e moderni di diverse parti del mondo,* s.l., 1590.
Página 160. A la derecha y Abajo, a la izquierda. Hombres de Scrifinnia. **arriba a la izquierda.** Traje lapón. Cesare Vecellio, *Degli abiti antichi e moderni di diverse parti del mondo,* s.l., 1590.
Página 161, a la izquierda. Noble moscovita y embajador. **A la derecha.** Mujer moscovita. Cesare Vecellio, *Degli abiti antichi e moderni di diverse parti del mondo,* s.l., 1590.
Página 162, arriba a la izquierda. Soldado moscovita a horcajadas. **Arriba a la derecha.** Infante moscovita armado. **en el centro.** Mujer de la isla de Ischia. **Abajo a la izquierda.** Mujer cristiana del Norte. **Abajo a la derecha.** Esposada lapón. Cesare Vecellio, *Degli abiti antichi e moderni di diverse parti del mondo,* s.l., 1590.
Página 163. Mujer de Biarmia. Cesare Vecellio, *Degli abiti antichi e moderni di diverse parti del mondo,* s.l., 1590.
Página 164, a la izquierda. Noble señora de Livonia. **A la derecha.** Mujer de Livonia. Cesare Vecellio, *Degli abiti antichi e moderni di diverse parti del mondo,* s.l., 1590.
Página 165, a la izquierda. Mozo de cuerda o Bastagi de Venecia. **en el centro.** Campesinas jóvenes y mujeres de artesanos de Parma. **A la derecha.** Alsaciano. Cesare Vecellio, *Degli abiti antichi e moderni di diverse parti del mondo,* s.l., 1590.

Page 166. Tyrolian costume. Cesare Vecellio, *Degli abiti antichi e moderni di diverse parti del mondo,* n.p., 1590.
Page 167, top. Regional costumes of southern and eastern Germany. **Bottom.** Regional costumes of northern Germany. Friedrich Hottenroth, *Die Bilder aus dem Handbuch der Deutschen Tracht,* Hanovre, 1892-1896.
Page 168, top. Regional costumes of southern and eastern Germany. **Bottom.** Regional costumes of northern Germany. Friedrich Hottenroth, *Die Bilder aus dem Handbuch der Deutschen Tracht,* Hanovre, 1892-1896.
Page 169. Regional costumes of southern and eastern Germany. Friedrich Hottenroth, *Die Bilder aus dem Handbuch der Deutschen Tracht,* Hanovre, 1892-1896.
Page 170. Gentleman's wife at home and in public. Cesare Vecellio, *Degli abiti antichi e moderni di diverse parti del mondo,* n.p., 1590.
Page 171. Venetian noblewoman. Cesare Vecellio, *Degli abiti antichi e moderni di diverse parti del mondo,* n.p., 1590.
Page 172, top left. Venetian noblewoman. **Bottom left.** Venetian servant. **Right.** Prostitute in public brothels. Cesare Vecellio, *Degli abiti antichi e moderni di diverse parti del mondo,* n.p., 1590.
Page 173, top left. Rector of the University of Padua. **Top right.** Jurisconsult or Lombard doctor. **Bottom left.** Fantassin. **Bottom right.** Milanese gentleman. Cesare Vecellio, *Degli abiti antichi e moderni di diverse parti del mondo,* n.p., 1590.
Page 174. Costumes of young Venetians and school children. Cesare Vecellio, *Degli abiti antichi e moderni di diverse parti del mondo,* n.p., 1590.
Page 175, left. Oarsman, called Falila, enrolled by the state of Venice in wartime. **Right.** Soldier, or Scapoli, on Venetian galleries. **Center.** Poor man begging alms. Cesare Vecellio, *Degli abiti antichi e moderni di diverse parti del mondo,* n.p., 1590.
Page 176. Noblewoman of Brescia. Cesare Vecellio, *Degli abiti antichi e moderni di diverse parti del mondo,* n.p., 1590.
Page 177, top left. Genoese woman of the people. **Bottom left.** Gardener of Chioggia. **Right.** Noble Milanese matron. Cesare Vecellio, *Degli abiti antichi e moderni di diverse parti del mondo,* n.p., 1590.
Page 178, left. Noble French bride. **Right.** Noble Frenchwoman in mourning. Cesare Vecellio, *Degli abiti antichi e moderni di diverse parti del mondo,* n.p., 1590.
Page 179. Noblewoman of Brabant or Antwerp. Cesare Vecellio, *Degli abiti antichi e moderni di diverse parti del mondo,* n.p., 1590.
Page 180, left. English nobleman. **Top right.** English merchant. **Bottom right.** Young Englishman. Cesare Vecellio, *Degli abiti antichi e moderni di diverse parti del mondo,* n.p., 1590.
Page 181. Noble French matron at court. Cesare Vecellio, *Degli abiti antichi e moderni di diverse parti del mondo,* n.p., 1590.
Page 182, top left. Woman of Toledo. **top au centre.** Woman of Vizcaya. **Top right.** Woman of Santander de Vizcaya. **Bottom left.** Roman widow. **Bottom right.** Noble Spanish matron. Cesare Vecellio, *Degli abiti antichi e moderni di diverse parti del mondo,* n.p., 1590.
Page 183, top left. Costume of German princes and barons. **Top right.** Costume of a few important German lords. **Bottom from left to right.** Young noble girl, young patrician girl and noble matron of Augsbourg. Cesare Vecellio, *Degli abiti antichi e moderni di diverse parti del mondo,* n.p., 1590.

Page 166. Costume de tyrolienne. Cesare Vecellio, *Degli abiti antichi e moderni di diverse parti del mondo,* s.l., 1590.
Page 167, en haut. Costumes régionaux du sud et de l'est de l'Allemagne. **En bas.** Costumes régionaux du nord de l'Allemagne. Friedrich Hottenroth, *Die Bilder aus dem Handbuch der Deutschen Tracht,* Hanovre, 1892-1896.
Page 168, en haut. Costumes régionaux du sud et de l'est de l'Allemagne. **En bas.** Costumes régionaux du nord de l'Allemagne. Friedrich Hottenroth, *Die Bilder aus dem Handbuch der Deutschen Tracht,* Hanovre, 1892-1896.
Page 169. Costumes régionaux du sud et de l'est de l'Allemagne. Friedrich Hottenroth, *Die Bilder aus dem Handbuch der Deutschen Tracht,* Hanovre, 1892-1896.
Page 170. Femme de gentilhomme, dans sa maison et dehors. Cesare Vecellio, *Degli abiti antichi e moderni di diverse parti del mondo,* s.l., 1590.
Page 171. Noble dame vénitienne. Cesare Vecellio, *Degli abiti antichi e moderni di diverse parti del mondo,* s.l., 1590.
Page 172, en haut à gauche. Noble dame vénitienne. **En bas à gauche.** Servante vénitienne. **À droite.** Prostituée des maisons publiques. Cesare Vecellio, *Degli abiti antichi e moderni di diverse parti del mondo,* s.l., 1590.
Page 173, en haut à gauche. Recteur de l'université de Padoue. **En haut à droite.** Jurisconsulte ou médecin lombard. **En bas à gauche.** Fantassin. **En bas à droite.** Gentilhomme milanais. Cesare Vecellio, *Degli abiti antichi e moderni di diverse parti del mondo,* s.l., 1590.
Page 174. Costumes des jeunes gens de Venise et des écoliers. Cesare Vecellio, *Degli abiti antichi e moderni di diverse parti del mondo,* s.l., 1590.
Page 175, à gauche. Rameur, appelé Falila, que l'État de Venise enrôle en temps de guerre. **À droite.** Soldat, ou Scapoli, de l'État de Venise, sur les galères. **Au centre.** Pauvre demandant l'aumône. Cesare Vecellio, *Degli abiti antichi e moderni di diverse parti del mondo,* s.l., 1590.
Page 176. Noble dame de Brescia. Cesare Vecellio, *Degli abiti antichi e moderni di diverse parti del mondo,* s.l., 1590.
Page 177, en haut à gauche. Gênoise du peuple. **En bas à gauche.** Jardinière de Chioggia. **À droite.** Noble matrone milanaise. Cesare Vecellio, *Degli abiti antichi e moderni di diverse parti del mondo,* s.l., 1590.
Page 178, à gauche. Noble épouse de France. **À droite.** Noble française en deuil. Cesare Vecellio, *Degli abiti antichi e moderni di diverse parti del mondo,* s.l., 1590.
Page 179. Femme noble du brabant ou d'Anvers. Cesare Vecellio, *Degli abiti antichi e moderni di diverse parti del mondo,* s.l., 1590.
Page 180, à gauche. Noble anglais. **En haut à droite.** Marchand anglais. **En bas à droite.** Jeune anglais. Cesare Vecellio, *Degli abiti antichi e moderni di diverse parti del mondo,* s.l., 1590.
Page 181. Noble matrone française de la cour. Cesare Vecellio, *Degli abiti antichi e moderni di diverse parti del mondo,* s.l., 1590.
Page 182, en haut à gauche. Femme de Tolède. **En haut au centre.** Femme de Biscaye. **En haut à droite.** Femme de Santander de Biscaye. **En bas à gauche.** Veuve romaine. **En bas à droite.** Noble matrone espagnole. Cesare Vecellio, *Degli abiti antichi e moderni di diverse parti del mondo,* s.l., 1590.
Page 183, en haut à gauche. Costume des princes et des barons allemands. **En haut à droite.** Costume de quelques hauts seigneurs allemands. **En bas de gauche à droite.** Jeune fille noble, jeune fille patricienne et noble matrone d'Augsbourg. Cesare Vecellio, *Degli abiti antichi e moderni di diverse parti del mondo,* s.l., 1590.

Seite 166, Kleidungsstil der Frauen in Tirol. Cesare Vecellio, *Degli abiti antichi e moderni di diverse parti del mondo,* s.l., 1590.
Seite 167, Oben. Südliche und östliche Volkstrachten. **Unten.** Norddeutsche Volkstrachten. Friedrich Hottenroth, *Die Bilder aus dem Handbuch der Deutschen Tracht,* Hannover, 1892-1896.
Seite 168, Oben. Südliche und östliche Volkstrachten. **Unten.** Norddeutsche Volkstrachten. Friedrich Hottenroth, *Die Bilder aus dem Handbuch der Deutschen Tracht,* Hannover, 1892-1896.
Seite 169. Süd -und ostdeutsche Volkstrachten. Friedrich Hottenroth, *Die Bilder aus dem Handbuch der Deutschen Tracht,* Hannover, 1892-1896.
Seite 170. Frau eines Edelmannes außerhalb und innerhalb ihres Hauses. Cesare Vecellio, *Degli abiti antichi e moderni di diverse parti del mondo,* s.l., 1590.
Seite 171. Venezianische Edeldame. Cesare Vecellio, *Degli abiti antichi e moderni di diverse parti del mondo,* s.l., 1590.
Seite 172, Oben links. Venezianische Edeldame. **Unten links.** Venezianische Dienerin. **Rechts.** Prostituierte der öffentlichen Bordelle. Cesare Vecellio, *Degli abiti antichi e moderni di diverse parti del mondo,* s.l., 1590.
Seite 173, Oben links. Rektor der Universität von Padua. **Oben rechts.** Juristischer Berater oder lombardischer Mediziner. **Unten links.** Fußsoldat. **Unten rechts.** Milanischer Edelmann. Cesare Vecellio, *Degli abiti antichi e moderni di diverse parti del mondo,* s.l., 1590.
Seite 174. Kleidungsstil der venezianischen Jugend und Schüler. Cesare Vecellio, *Degli abiti antichi e moderni di diverse parti del mondo,* s.l., 1590.
Seite 175, Links. Rameur, erinnert Falila, dass der Staat Venedig in den Krieg eintritt. **Rechts.** Soldat oder Scapoli, der Staat Venedig auf den Galeeren. **Mitte.** Armer um Almosen bettelnd. Cesare Vecellio, *Degli abiti antichi e moderni di diverse parti del mondo,* s.l., 1590.
Seite 176. Edeldame von Brescia. Cesare Vecellio, *Degli abiti antichi e moderni di diverse parti del mondo,* s.l., 1590.
Seite 177, Oben links. Frau aus Genua. **Unten links.** Gärtnerin von Chioggia. **Rechts.** Milanische Nobelmatrone. Cesare Vecellio, *Degli abiti antichi e moderni di diverse parti del mondo,* s.l., 1590.
Seite 178, Links. Französische verheiratete Edeldame. **Rechts.** Französische Edeldame in Trauer. Cesare Vecellio, *Degli abiti antichi e moderni di diverse parti del mondo,* s.l., 1590.
Seite 179. Edeldame von Brabant oder Anvers. Cesare Vecellio, *Degli abiti antichi e moderni di diverse parti del mondo,* s.l., 1590.
Seite 180, Links. Englische Edeldame. **Oben rechts.** Englischer Handelsmann. **Unten rechts.** Junger Engländer. Cesare Vecellio, *Degli abiti antichi e moderni di diverse parti del mondo,* s.l., 1590.
Seite 181. Französische Nobelmatrone bei Hofe. Cesare Vecellio, *Degli abiti antichi e moderni di diverse parti del mondo,* s.l., 1590.
Seite 182, Oben links. Frau von Toledo. **Oben Mitte.** Frau von Vizcaya. **Oben rechts.** Frau von Santander de Vizcaya. **Unten links.** Römische Witwe. **Unten rechts.** Spanische Nobelmatrone. Cesare Vecellio, *Degli abiti antichi e moderni di diverse parti del mondo,* s.l., 1590.
Seite 183, Oben links. Kleider deutschen Prinzen und Barone. **Oben rechts.** Kleidungsstil deutscher bedeutender Herren. **Unten links und rechts.** Junges Mädchen aus noblem Hause, junges Mädchen aus einer Patrizierfamilie und Nobelmatrone von Augsburg. Cesare Vecellio, *Degli abiti antichi e moderni di diverse parti del mondo,* s.l., 1590.

Página 166. Traje de tirolesa. Cesare Vecellio, *Degli abiti antichi e moderni di diverse parti del mondo,* s.l., 1590.
Página 167, arriba. Trajes regionales alemanes del Sur y del Este. **Abajo.** Trajes regionales alemanes del Norte. Friedrich Hottenroth, *Die Bilder aus dem Handbuch der Deutschen Tracht,* Hanovre, 1892-1896.
Página 168, arriba. Trajes regionales alemanes del Sur y del Este. **Abajo.** Trajes regionales alemanes del Norte. Friedrich Hottenroth, *Die Bilder aus dem Handbuch der Deutschen Tracht,* Hanovre, 1892-1896.
Página 169. Trajes regionales alemanes del Sur y del Este. Friedrich Hottenroth, *Die Bilder aus dem Handbuch der Deutschen Tracht,* Hanovre, 1892-1896.
Página 170. Mujer de un señor, en su casa y fuera. Cesare Vecellio, *Degli abiti antichi e moderni di diverse parti del mondo,* s.l., 1590.
Página 171. Noble señora veneciana. Cesare Vecellio, *Degli abiti antichi e moderni di diverse parti del mondo,* s.l., 1590.
Página 172, arriba a la izquierda. Noble señora veneciana. **Abajo a la izquierda.** Criada veneciana. **A la derecha.** Prostituta de casa pública. Cesare Vecellio, *Degli abiti antichi e moderni di diverse parti del mondo,* s.l., 1590.
Página 173, arriba a la izquierda. Rector de Padova. **Arriba a la derecha.** Jurisconsulto o médico lombardo. **Abajo a la izquierda.** Infante. **Abajo a la derecha.** Señor milanés. Cesare Vecellio, *Degli abiti antichi e moderni di diverse parti del mondo,* s.l., 1590.
Página 174. Trajes venecianos jóvenes y de escolares. Cesare Vecellio, *Degli abiti antichi e moderni di diverse parti del mondo,* s.l., 1590.
Página 175, a la izquierda. Remero veneciano, llamado Falila. **A la derecha.** Galeote veneciano, o Scapoli. **En el centro.** Pobre que pide limosna. Cesare Vecellio, *Degli abiti antichi e moderni di diverse parti del mondo,* s.l., 1590.
Página 176. Señora noble de Brescia. Cesare Vecellio, *Degli abiti antichi e moderni di diverse parti del mondo,* s.l., 1590.
Página 177, arriba a la izquierda. Genovesa del pueblo . **Abajo a la izquierda.** Hortelana de Chioggia. **A la derecha.** Noble matrona milanesa. Cesare Vecellio, *Degli abiti antichi e moderni di diverse parti del mondo,* s.l., 1590.
Página 178, a la izquierda. Esposada noble de Francia. **A la derecha.** Francesa noble de luto. Cesare Vecellio, *Degli abiti antichi e moderni di diverse parti del mondo,* s.l., 1590.
Página 179. Mujer noble del Brabante o de Amberes. Cesare Vecellio, *Degli abiti antichi e moderni di diverse parti del mondo,* s.l., 1590.
Página 180, a la izquierda. Inglés noble. **Arriba a la derecha.** Vendedor inglés. **Abajo a la derecha.** Inglés joven. Cesare Vecellio, *Degli abiti antichi e moderni di diverse parti del mondo,* s.l., 1590.
Página 181. Matrona francesa noble de la corte. Cesare Vecellio, *Degli abiti antichi e moderni di diverse parti del mondo,* s.l., 1590.
Página 182, arriba a la izquierda. Mujer de Toledo. **Arriba en el centro.** Vizcaína. **Arriba a la derecha.** Mujer de Santander de Vizcaya. **Abajo a la izquierda.** Viuda romana. **Abajo a la derecha.** Matrona española noble. Cesare Vecellio, *Degli abiti antichi e moderni di diverse parti del mondo,* s.l., 1590.
Página 183, arriba a la izquierda. Traje de los príncipes y de los barones alemanes. **Arriba a la derecha.** Traje de algunos señores alemanes. **Abajo de la izquierda a la derecha.** Joven noble, joven patricio y noble matrona de Augsburgo. Cesare Vecellio, *Degli abiti antichi e moderni di diverse parti del mondo,* s.l., 1590.

Page 184. Courtesan at the time of Pie V. Cesare Vecellio, *Degli abiti antichi e moderni di diverse parti del mondo,* n.p., 1590.
Page 185, left. Old fashioned costume of Venetian noblewomen. **Top right.** Old fashioned costume of married Venetian women. **Bottom right.** Costume of a young Venetian girl. Cesare Vecellio, *Degli abiti antichi e moderni di diverse parti del mondo,* n.p., 1590.
Page 186, top left. Great Venetian capitain. **Top right.** Lesser Venetian capitains of the police. **Bottom left.** Noble Venetian. **Bottom right.** Costume of Italian merchants. Cesare Vecellio, *Degli abiti antichi e moderni di diverse parti del mondo,* n.p., 1590.
Page 187, left. Costume of the princess or dogaresse of Venice. **Top right.** Costume ofVenetian ladies in 1550. **Bottom right.** Noble Venetian lady in mourning, 1550. Cesare Vecellio, *Degli abiti antichi e moderni di diverse parti del mondo,* n.p., 1590.
Page 188, left. Cardinal costume. **Right.** Costume of baronnesses and other noble Roman ladies. Cesare Vecellio, *Degli abiti antichi e moderni di diverse parti del mondo,* n.p., 1590.
Page 189, left. Roman courtier. **Right.** Noble Roman bride. Cesare Vecellio, *Degli abiti antichi e moderni di diverse parti del mondo,* n.p., 1590.
Page 190. Young noble Roman girl. Cesare Vecellio, *Degli abiti antichi e moderni di diverse parti del mondo,* n.p., 1590.
Page 191, top left. French noblewoman. **Bottom left.** Unarmed soldier in garrison. **Right.** Roman noblemen. Cesare Vecellio, *Degli abiti antichi e moderni di diverse parti del mondo,* n.p., 1590.
Page 192, left. Venetian ambassador to Syria. **Right.** Venetian citizen or merchant in Syria. Cesare Vecellio, *Degli abiti antichi e moderni di diverse parti del mondo,* n.p., 1590.
Page 193. Peasant of the Roman territory. Cesare Vecellio, *Degli abiti antichi e moderni di diverse parti del mondo,* n.p., 1590.
Page 194, top left. Old-fashioned Venetian nobleman. **Top right.** Modest Venetian costume. **Bottom left.** Old-fashioned costume of an unmarried Venetian girl. **Bottom right.** Venetian costume. Cesare Vecellio, *Degli abiti antichi e moderni di diverse parti del mondo,* n.p., 1590.
Page 195, top left. Venetian general in time of war. **Top right.** Roman senator and Venetian knight. **Bottom left.** Normal costume of Venetian noblemen. **Bottom center.** Venetian magistrate. **Bottom right.** Mourning costume ofVenetian noblemen. Cesare Vecellio, *Degli abiti antichi e moderni di diverse parti del mondo,* n.p., 1590.
Page 196, top left. Young Venetian nobleman. **Bottom left.** Winter costume of Venetian noblemen. **Right.** Venetian costume of the prince's knight. Cesare Vecellio, *Degli abiti antichi e moderni di diverse parti del mondo,* n.p., 1590.
Page 197, left. Venetian costume of the arsenal's petty officers. **Right.** Costume of Venetian admiral. Cesare Vecellio, *Degli abiti antichi e moderni di diverse parti del mondo,* n.p., 1590.
Page 198, top left. Noblewoman during Lent. **Top right.** Venetian lady. **Center.** Venetian widow. **Bottom left.** Aged Venetian woman. **Bottom right.** Special costume of some Venetian women. Cesare Vecellio, *Degli abiti antichi e moderni di diverse parti del mondo,* n.p., 1590.
Page 199. Venetian courtier in public. Cesare Vecellio, *Degli abiti antichi e moderni di diverse parti del mondo,* n.p., 1590.
Page 200, left. Venetian lady at home. **Right.** Venetian noblewoman, at home and in public during winter. **Center.** Venetian woman. Cesare Vecellio, *Degli abiti antichi e moderni di diverse*

Page 184. Courtisane du temps de Pie V. Cesare Vecellio, *Degli abiti antichi e moderni di diverse parti del mondo,* s.l., 1590.
Page 185, à gauche. Ancien costume des vénitiennes nobles. **En haut à droite.** Anciens costumes des vénitiennes mariées. **En bas à droite.** Costume de jeune fille vénitienne. Cesare Vecellio, *Degli abiti antichi e moderni di diverse parti del mondo,* s.l., 1590.
Page 186, en haut à gauche. Grand capitaine vénitien. **En haut à droite.** Capitaines vénitiens inférieurs, chargés de la police. **En bas à gauche.** Noble vénitien. **En bas à droite.** Costume des marchands italiens. Cesare Vecellio, *Degli abiti antichi e moderni di diverse parti del mondo,* s.l., 1590.
Page 187, à gauche. Costume de la princesse ou dogaresse de Venise. **En haut à droite.** Costume des dames vénitiennes en 1550. **En bas à droite.** Noble dame vénitienne en deuil, 1550. Cesare Vecellio, *Degli abiti antichi e moderni di diverse parti del mondo,* s.l., 1590.
Page 188, à gauche. Costume des cardinaux. **À droite.** Costume des baronesses et autres dames nobles romaines. Cesare Vecellio, *Degli abiti antichi e moderni di diverse parti del mondo,* s.l., 1590.
Page 189, à gauche. Courtisane romaine. **À droite.** Noble épouse romaine. Cesare Vecellio, *Degli abiti antichi e moderni di diverse parti del mondo,* s.l., 1590.
Page 190. Noble jeune fille romaine. Cesare Vecellio, *Degli abiti antichi e moderni di diverse parti del mondo,* s.l., 1590.
Page 191, en haut à gauche. Noble de France. **En bas à gauche.** Soldat sans armes en garnison. **À droite.** Costume des nobles romains. Cesare Vecellio, *Degli abiti antichi e moderni di diverse parti del mondo,* s.l., 1590.
Page 192, à gauche. Ambassadeur vénitien envoyé en Syrie. **À droite.** Citoyen ou marchand vénitien en Syrie. Cesare Vecellio, *Degli abiti antichi e moderni di diverse parti del mondo,* s.l., 1590.
Page 193. Paysanne du territoire romain. Cesare Vecellio, *Degli abiti antichi e moderni di diverse parti del mondo,* s.l., 1590.
Page 194, en haut à gauche. Ancienne noble vénitienne. **En haut à droite.** Costume simple et modeste de Venise. **En bas à gauche.** Ancienne demoiselle vénitienne à marier. **En bas à droite.** Costume vénitien. Cesare Vecellio, *Degli abiti antichi e moderni di diverse parti del mondo,* s.l., 1590.
Page 195, en haut à gauche. Général vénitien en temps de guerre. **En haut à droite.** Sénateur romain et chevalier vénitiens. **En bas à gauche.** Costume ordinaire de la noblesse vénitienne. **En bas au centre.** Magistrat vénitien. **En bas à droite.** Costume de deuil des nobles vénitiens. Cesare Vecellio, *Degli abiti antichi e moderni di diverse parti del mondo,* s.l., 1590.
Page 196, en haut à gauche. Jeune noble vénitien. **En bas à gauche.** Costume de noble vénitien pendant l'hiver. **À droite.** Costume vénitien du chevalier du prince. Cesare Vecellio, *Degli abiti antichi e moderni di diverse parti del mondo,* s.l., 1590.
Page 197, à gauche. Costume vénitien de la maistrance de l'arsenal. **À droite.** Costume vénitien de l'amiral. Cesare Vecellio, *Degli abiti antichi e moderni di diverse parti del mondo,* s.l., 1590.
Page 198, en haut à gauche. Femme noble pendant le carême. **En haut à droite.** Dame vénitienne. **Au centre.** Veuve vénitienne. **En bas à gauche.** Vénitienne âgée. **En bas à droite.** Costume particulier de diverses femmes vénitiennes. Cesare Vecellio, *Degli abiti antichi e moderni di diverse parti del mondo,* s.l., 1590.
Page 199. Courtisane vénitienne hors de chez elle. Cesare Vecellio, *Degli abiti antichi e moderni di diverse parti del mondo,* s.l., 1590.
Page 200, à gauche. Dame vénitienne chez elle. **À droite.** Femme noble vénitienne, chez elle et dehors en hiver. **Au centre.**

Seite 184. Courtisane zur Zeit Pius V. Cesare Vecelli, *Degli abiti antichi e moderni di diverse parti del mondo,* s.l., 1590.
Seite 185, Links. Älterer Kleidungsstil venezianischer Nobelfamilien. **Oben rechts.** Älterer Kleidungsstil verheirateter venezianischer Frauen. **Unten rechts.** Kleidung junger venezianischer Mädchen. Cesare Vecellio, *Degli abiti antichi e moderni di diverse parti del mondo,* s.l., 1590.
Seite 186, Oben links. Bedeutender venezianische Kapitän. **Oben rechts.** Venezianischer Kapitän von niedrigerem Rang, vertraut mit den Verantwortlichkeiten der Polizei. **Unten links.** Venezianische Edeldame. **Unten rechts.** Kleidung italienischer Händler. Cesare Vecellio, *Degli abiti antichi e moderni di diverse parti del mondo,* s.l., 1590.
Seite 187, Links. Kleidung der Prinzessin oder Dogaresse von Venedig. **Oben rechts.** Kleidungsstil venezianischer Damen um 1550. **Unten rechts.** Venezianische Edeldame in Trauer, 1550. Cesare Vecellio, *Degli abiti antichi e moderni di diverse parti del mondo,* s.l., 1590.
Seite 188, Links. Kleidung der Kardinäle. **Rechts.** Kleidung römischer Baroninnen und andere römischen Edeldamen. Cesare Vecellio, *Degli abiti antichi e moderni di diverse parti del mondo,* s.l., 1590.
Seite 189, Links. Römische Courtisane. **Rechts.** Römische verheiratete Edeldame. Cesare Vecellio, *Degli abiti antichi e moderni di diverse parti del mondo,* s.l., 1590.
Seite 190. Römische Mädchen einer Nobelfamilie. Cesare Vecellio, *Degli abiti antichi e moderni di diverse parti del mondo,* s.l., 1590.
Seite 191, Oben links. Französischer Edelmann. **Unten links.** Soldat ohne Waffen in Garnison. **Rechts.** Kleidungsstil römischer Edelleute. Cesare Vecellio, *Degli abiti antichi e moderni di diverse parti del mondo,* s.l., 1590.
Seite 192, Links. Venezianischer Botschafter nach Syrien versand. **Rechts.** Venezianischer Bürger oder Händler in Syrien. Cesare Vecellio, *Degli abiti antichi e moderni di diverse parti del mondo,* s.l., 1590.
Seite 193. Bäuerin der römisch besetzten Regionen. Cesare Vecellio, *Degli abiti antichi e moderni di diverse parti del mondo,* s.l., 1590.
Seite 194, Oben links. Ältere venezianische Edeldame. **Oben rechts.** Einfacher und bescheidener Kleidungsstil von Venedig. **Unten links.** Älterer Kleidungsstil einer noch nicht verheirateten venezianischen Frau. **Unten rechts.** Venezianische Kleidung. Cesare Vecellio, *Degli abiti antichi e moderni di diverse parti del mondo,* s.l., 1590.
Seite 195, Oben links. Venezianischer General zu Kriegszeiten. **Oben rechts.** Römischer Senator und venezianischer Reiter. **Unten links.** Alltäglicher Kleidungsstil der venezianischen Nobelgesellschaft. **Unten Mitte.** Venezianischer Magistrat. **Unten rechts.** Trauerkleidung der venezianischen Nobelgesellschaft. Cesare Vecellio, *Degli abiti antichi e moderni di diverse parti del mondo,* s.l., 1590.
Seite 196, Oben links. Junger venezianischer Edelmann. **Unten links.** Winterkleidung der venezianischen Nobelgesellschaft. **Rechts.** Kleidung des Reiters des Prinzen. Cesare Vecellio, *Degli abiti antichi e moderni di diverse parti del mondo,* s.l., 1590.
Seite 197, Links. Venezianischer Kleidungsstil der Magistrate von Arsenal. **Rechts.** Kleidung eines venezianischen Admirals. Cesare Vecellio, *Degli abiti antichi e moderni di diverse parti del mondo,* s.l., 1590.
Seite 198, Oben links. Edeldame während der Fastenzeit. **Oben rechts.** Venezianische Dame. **Mitte.** Venezianische Witwe. **Unten links.** Venezianische Frau in gehobenem Alter. **Unten rechts.** Außergewöhnliche Kleidungsstücke diverser venezianischer Frauen. Cesare Vecellio, *Degli abiti antichi e moderni di diverse parti del mondo,* s.l., 1590.

Página 184. Cortesana en tiempos de Pie V. Cesare Vecellio, *Degli abiti antichi e moderni di diverse parti del mondo,* s.l., 1590.
Página 185, a la izquierda. Traje antiguo de las venecianas nobles. **Arriba a la derecha.** Trajes antiguos de las venecianas casadas. **Abajo a la derecha.** Traje de veneciana joven. Cesare Vecellio, *Degli abiti antichi e moderni di diverse parti del mondo,* s.l., 1590.
Página 186, arriba a la izquierda. Mayor capitán veneciano. **Arriba a la derecha.** Capitanes de la policía veneciana. **Abajo a la izquierda.** Noble veneciano. **Abajo a la derecha.** Traje de los vendidores italianos. Cesare Vecellio, *Degli abiti antichi e moderni di diverse parti del mondo,* s.l., 1590.
Página 187, a la izquierda. Traje de la principesa dogaresa de Venecia. **Arriba a la derecha.** Traje de las señoras venecianas en 1550. **Abajo a la derecha.** Veneciana noble de luto, 1550. Cesare Vecellio, *Degli abiti antichi e moderni di diverse parti del mondo,* s.l., 1590.
Página 188, a la izquierda. Traje de los cardenales. **A la derecha.** Traje de las baronesas y otras señoras nobles romanas. Cesare Vecellio, *Degli abiti antichi e moderni di diverse parti del mondo,* s.l., 1590.
Página 189, a la izquierda. Cortesana romana. **A la derecha.** Noble esposada romana. Cesare Vecellio, *Degli abiti antichi e moderni di diverse parti del mondo,* s.l., 1590.
Página 190. Noble romana joven. Cesare Vecellio, *Degli abiti antichi e moderni di diverse parti del mondo,* s.l., 1590.
Página 191, arriba a la izquierda. Noble de Francia. **Abajo a la izquierda.** Soldados sin armas en guarnición. **A la derecha.** Traje des los romanos nobles. Cesare Vecellio, *Degli abiti antichi e moderni di diverse parti del mondo,* s.l., 1590.
Página 192, a la izquierda. Embajador veneciano mandado en Siria. **A la derecha.** Ciudadano o vendedor veneciano en Siria. Cesare Vecellio, *Degli abiti antichi e moderni di diverse parti del mondo,* s.l., 1590.
Página 193. Campesina del territorio romano. Cesare Vecellio, *Degli abiti antichi e moderni di diverse parti del mondo,* s.l., 1590.
Página 194, arriba a la izquierda. Antigua noble veneciana. **Arriba a la derecha.** Traje simple y modesto de Venecia. **Abajo a la izquierda.** Antigua señorita veneciana casadera. **Abajo a la derecha.** Traje veneciano. Cesare Vecellio, *Degli abiti antichi e moderni di diverse parti del mondo,* s.l., 1590.
Página 195, arriba a la izquierda. General veneciano durante la guerra. **Arriba a la derecha.** Senador romano y caballero vecianos. **Abajo a la izquierda.** Traje ordinario de la nobleza veneciana. **Abajo en el centro.** Magistrado veneciano. **Abajo a la derecha.** Traje de luto de los nobles venecianos. Cesare Vecellio, *Degli abiti antichi e moderni di diverse parti del mondo,* s.l., 1590.
Página 196, arriba a la izquierda. Noble veneciano joven. **Abajo a la izquierda.** Traje de noble veneciano durante el invierno. **A la derecha.** Traje veneciano del caballero del príncipe. Cesare Vecellio, *Degli abiti antichi e moderni di diverse parti del mondo,* s.l., 1590.
Página 197, a la izquierda. Traje veneciano de la maestranza del arsenal. **A la derecha.** Traje veneciano del almirante. Cesare Vecellio, *Degli abiti antichi e moderni di diverse parti del mondo,* s.l., 1590.
Página 198, arriba a la izquierda. Mujer noble durante la cuaresma. **Arriba a la derecha.** Señora veneciana. **En el centro.** Viuda veneciana. **Abajo a la izquierda.** Mujer veneciana vieja. **Abajo a la derecha.** Traje particular de mujeres venecianas diversas. Cesare Vecellio, *Degli abiti antichi e moderni di diverse parti del mondo,* s.l., 1590.

Degli abiti antichi e moderni di diverse parti del mondo, s.l., 1590.

Page 201, Top left. Costume of princes, barons or other venetian personages. **Top right.** Vicar, doctor or assessor of the State of Venice. **Bottom left.** Disarmed soldier. **Bottom right.** Venetian Bravo. Cesare Vecellio, *Degli abiti antichi e moderni di diverse parti del mondo,* s.l., 1590.

Page 202, Top left. Italian mourning costume. **Top centre.** Italian colonel, knight or captain in mourning clothes. **Top right.** Venetian bailiff. **Bottom left.** Venetian undertaker. **Bottom right.** Costume of the brotherhood of assistance to the sentenced to death. Cesare Vecellio, *Degli abiti antichi e moderni di diverse parti del mondo,* s.l., 1590.

Page 203, centre. Venetian costume. **Left.** Venetian merchant. **Right.** Venetian princes' squire. Cesare Vecellio, *Degli abiti antichi e moderni di diverse parti del mondo,* s.l., 1590.

Page 204, Top left. French costume. **Top right.** Calabrian costume. **Bottom left.** Peasant at the Venice market. **Bottom right.** Ancient French nobleman. Cesare Vecellio, *Degli abiti antichi e moderni di diverse parti del mondo,* s.l., 1590.

Page 205, left. Orphan of the hospitals of Venice. **Right.** Woman leading a religious life. Cesare Vecellio, *Degli abiti antichi e moderni di diverse parti del mondo,* s.l., 1590.

Page 206, Top left. Bride of Frioul. **Bottom left.** Costume of noblewomen of Cividale de Bellune at home. **Right.** Costume of noblewoman of Cividale de Bellune. Cesare Vecellio, *Degli abiti antichi e moderni di diverse parti del mondo,* s.l., 1590.

Page 207. Basket carrier. Cesare Vecellio, *Degli abiti antichi e moderni di diverse parti del mondo,* s.l., 1590.

Page 208, Top left. Noblewoman of Conigliano. **Top centre.** Paduan matron. **Top right.** Paduan noblewoman. **Bottom center.** Costume of Brescia and Verona. **Bottom left.** Married Paduan woman. **Bottom right.** Woman of Vicenza. Cesare Vecellio, *Degli abiti antichi e moderni di diverse parti del mondo,* s.l., 1590.

Page 209, Top left. Matron of Brescia and Verona. **Top right.** Matron and lady of Pergamum. **Bottom left.** Costume of Milan and Lombardy. **Bottom center.** Lombard nobleman. **Bottom right.** Costume of the duchesses of Parma. Cesare Vecellio, *Degli abiti antichi e moderni di diverse parti del mondo,* s.l., 1590.

Page 210, left. Costume of a few high ranking Lombard women. **Right.** Woman of low rank. Cesare Vecellio, *Degli abiti antichi e moderni di diverse parti del mondo,* s.l., 1590.

Page 211, left. Turin matron. **Center.** Noble Genoese woman. **Right.** Young Turin girl. Cesare Vecellio, *Degli abiti antichi e moderni di diverse parti del mondo,* s.l., 1590.

Page 212. Old fashioned costume of young Florentine girls. Cesare Vecellio, *Degli abiti antichi e moderni di diverse parti del mondo,* s.l., 1590.

Page 213, Top and bottom left. Noblewoman of Sienna. **Top right.** Costume of young Florentine married noblewomen. **Center right.** Moderne costume of young Tuscan noblewomen. **Bottom right.** Costume of Florentine noblewomen. Cesare Vecellio, *Degli abiti antichi e moderni di diverse parti del mondo,* s.l., 1590.

Page 214, left. Costume of the first magistrates of Florence. **Right.** Ordinary Florentine costume. Cesare Vecellio, *Degli abiti antichi e moderni di diverse parti del mondo,* s.l., 1590.

Femme vénitienne. Cesare Vecellio, *Degli abiti antichi e moderni di diverse parti del mondo,* s.l., 1590.

Page 201, en haut à gauche. Costume des princes, barons ou autres personnages vénitiens. **En haut à droite.** Vicaire, docteur ou assesseur de l'État de Venise. **En bas à gauche.** Soldat désarmé. **En bas à droite.** Bravo de Venise. Cesare Vecellio, *Degli abiti antichi e moderni di diverse parti del mondo,* s.l., 1590.

Page 202, en haut à gauche. Costume de deuil italien. **En haut au centre.** Colonel, chevalier ou capitaine italien, vêtu de deuil. **En haut à droite.** Huissier vénitien. **En bas à gauche.** Croque-morts vénitien. **En bas à droite.** Costume des membres de la confrérie chargée d'accompagner les condamnés à mort. Cesare Vecellio, *Degli abiti antichi e moderni di diverse parti del mondo,* s.l., 1590.

Page 203, au centre. Costume vénitien. **À gauche.** Marchand de Venise. **À droite.** Écuyer du prince vénitien. Cesare Vecellio, *Degli abiti antichi e moderni di diverse parti del mondo,* s.l., 1590.

Page 204, en haut à gauche. Costume français. **En haut à droite.** Costume Calabrais. **En bas à gauche.** Paysan au marché de Venise. **En bas à droite.** Ancien noble français. Cesare Vecellio, *Degli abiti antichi e moderni di diverse parti del mondo,* s.l., 1590.

Page 205, à gauche. Orpheline des hôpitaux de Venise. **À droite.** Femme menant une vie religieuse. Cesare Vecellio, *Degli abiti antichi e moderni di diverse parti del mondo,* s.l., 1590.

Page 206, en haut à gauche. Épousée du Frioul. **En bas à gauche.** Costume d'intérieur des nobles dames de Cividale de Bellune. **À droite.** Costume de femme noble de Cividale de Bellune. Cesare Vecellio, *Degli abiti antichi e moderni di diverse parti del mondo,* s.l., 1590.

Page 207. Porteur de paniers. Cesare Vecellio, *Degli abiti antichi e moderni di diverse parti del mondo,* s.l., 1590.

Page 208, en haut à gauche. Noble dame de Conigliano. **En haut au centre.** Matrone de Padoue. **En haut à droite.** Femme noble de Padoue. **En bas au centre.** Costume de Brescia et de Vérone. **En bas à gauche.** Femme mariée de Padoue. **En bas à droite.** Costume de femme de Vicence. Cesare Vecellio, *Degli abiti antichi e moderni di diverse parti del mondo,* s.l., 1590.

Page 209, en haut à gauche. Matrone de Brescia et de Vérone. **En haut à droite.** Matrone et dame de Pergame. **En bas à gauche.** Costume de Milan et de Lombardie. **En bas au centre.** Noble de Lombardie. **En bas à droite.** Costume des duchesses de Parme. Cesare Vecellio, *Degli abiti antichi e moderni di diverse parti del mondo,* s.l., 1590.

Page 210, à gauche. Costume de quelques dames de haut rang de Lombardie. **À droite.** Femme de médiocre condition. Cesare Vecellio, *Degli abiti antichi e moderni di diverse parti del mondo,* s.l., 1590.

Page 211, à gauche. Matrone de Turin. **Au centre.** Femmes nobles gênoises. **À droite.** Jeune fille de Turin. Cesare Vecellio, *Degli abiti antichi e moderni di diverse parti del mondo,* s.l., 1590.

Page 212. Ancien costume des jeunes filles florentines. Cesare Vecellio, *Degli abiti antichi e moderni di diverse parti del mondo,* s.l., 1590.

Page 213, en haut et en bas à gauche. Nobles siennoises. **En haut à droite.** Costume de jeunes mariées nobles florentines. **Au centre à droite.** Costume moderne des jeunes filles nobles de Toscane. **En bas à droite.** Costume des femmes de la haute noblesse florentine. Cesare Vecellio, *Degli abiti antichi e moderni di diverse parti del mondo,* s.l., 1590.

Page 214, à gauche. Costume des premiers magistrats de Florence. **À droite.** Costume ordinaire des florentins. Cesare Vecellio, *Degli abiti antichi e moderni di diverse parti del mondo,* s.l., 1590.

Seite 199. Venezianische Courtisane außerhalb ihres Hauses. Cesare Vecellio, *Degli abiti antichi e moderni di diverse parti del mondo,* s.l., 1590.
Seite 200, Links. Venezianische Dame bei sich zu Hause. **Rechts.** Venezianische Edeldame bei sich zu Hause und außerhalb während de Winterzeit. **Mitte.** Venezianische Dame. Cesare Vecellio, *Degli abiti antichi e moderni di diverse parti del mondo,* s.l., 1590.
Seite 201, Oben links. Kleidung von Prinzen, Baronen und anderen venezianischen Persönlichkeiten. **Oben rechts.** Vikar, Doktor oder Beisitzer von Staatsangelegenheiten in Venedig. **Unten links.** Unbewaffneter Soldat. **Unten rechts.** Bravo von Venedig. Cesare Vecellio, *Degli abiti antichi e moderni di diverse parti del mondo,* s.l., 1590.
Seite 202, Oben links. Italienische Trauerkleidung. **Oben Mitte.** Colonel, Reiter oder italienischer Kapitän in Trauerkleidung. **Oben rechts.** Venezischer Huissier. **Unten links.** Venezianischer Totengräber. **Unten rechts.** Kleidung der Totenprozession für Menschen, die zum Tod verurteilt wurden und zur Hinrichtung geführt werden. Cesare Vecellio, *Degli abiti antichi e moderni di diverse parti del mondo,* s.l., 1590.
Seite 203, Mitte. Venedischer Kleidungsstil. **Links.** Venezianischer Kaufmann. **Rechts.** Junker des venezianischen Prinzen. Cesare Vecellio, *Degli abiti antichi e moderni di diverse parti del mondo,* s.l., 1590.
Seite 204, Oben links. Französische Kleidung. **Oben rechts.** Kalabräische Kleidung. **Unten links.** Bauer auf einem venezianischen Markt. **Unten rechts.** Älterer französischer Edelmann. Cesare Vecellio, *Degli abiti antichi e moderni di diverse parti del mondo,* s.l., 1590.
Seite 205, Links. Weise der venezianischen Krankenhäuser. **Rechts.** Frau, die ein religiöses Leben führt. Cesare Vecellio, *Degli abiti antichi e moderni di diverse parti del mondo,* s.l., 1590.
Seite 206, Oben links. Ehefrau des Frious. **Unten links.** Hauskleidung der Edeldamen von Cividale de Bellune. **Rechts.** Kleidung der Edeldamen von Cividale de Bellune. Cesare Vecellio, *Degli abiti antichi e moderni di diverse parti del mondo,* s.l., 1590.
Seite 207, Korbträger. Cesare Vecellio, *Degli abiti antichi e moderni di diverse parti del mondo,* s.l., 1590.
Seite 208, Oben links. Edeldame von Conigliano. **Oben Mitte.** Matrone von Padua. **Oben rechts.** Moderne Edeldame von Padua. **Unten Mitte.** Kleidungsstil in Brescia und Verona. **Unten links.** Verheiratete Frau von Padua. **Unten rechts.** Kleidung der Frauen von Vicence. Cesare Vecellio, *Degli abiti antichi e moderni di diverse parti del mondo,* s.l., 1590.
Seite 209, Oben links. Matrone von Brescia und Verona. **Oben rechts.** Matrone und Dame von Pergame. **Unten links.** Milanische und lombardische Kleidung. **Unten Mitte.** Lombardische Edeldame. **Unten rechts.** Kleidung der Herzöge von Parma. Cesare Vecellio, *Degli abiti antichi e moderni di diverse parti del mondo,* s.l., 1590.
Seite 210, Links. Kleidung einiger lombardischer Damen von hohem Rang. **Rechts.** Frau unter unzulänglichen Lebensverhältnissen. Cesare Vecellio, *Degli abiti antichi e moderni di diverse parti del mondo,* s.l., 1590.
Seite 211, Links. Matrone von Turin. **Mitte.** Edeldame von Genua. **Rechts.** Junges Mädchen von Turin. Cesare Vecellio, *Degli abiti antichi e moderni di diverse parti del mondo,* s.l., 1590.
Seite 212. Ehemaliger Kleidungsstil junger florentinischer Mädchen. Cesare Vecellio, *Degli abiti antichi e moderni di diverse parti del mondo,* s.l., 1590.

Página 199. Cortesana veneciana fuera de su casa. Cesare Vecellio, *Degli abiti antichi e moderni di diverse parti del mondo,* s.l., 1590.
Página 200, a la izquierda. Señora veneciana en su casa. **A la derecha.** Mujer noble veneciana, en su casa y fuera durante el invierno. **En el centro.** Mujer veneciana. Cesare Vecellio, *Degli abiti antichi e moderni di diverse parti del mondo,* s.l., 1590.
Página 201, arriba a la izquierda. Traje de los príncipes, barones o otros personajes venecianos. **Arriba a la derecha.** Vicario, doctor o asesor Venecianos. **Abajo a la izquierda.** Soldado desarmado. **Abajo a la derecha.** Bravo de Venecia. Cesare Vecellio, *Degli abiti antichi e moderni di diverse parti del mondo,* s.l., 1590.
Página 202, arriba a la izquierda. Traje de luto italiano. **Arriba en el centro.** Coronel, caballero o capitán italiano, llevando luto. **Arriba a la derecha.** Portero veneciano. **Abajo a la izquierda.** Pitejos venecianos. **Abajo a la derecha.** Traje de los socios del gremio que acompaña los sentenciados. Cesare Vecellio, *Degli abiti antichi e moderni di diverse parti del mondo,* s.l., 1590.
Página 203, en el centro. Traje veneciano. **A la izquierda.** Vendedor de Venecia. **A la derecha.** Jinete del príncipe veneciano. Cesare Vecellio, *Degli abiti antichi e moderni di diverse parti del mondo,* s.l., 1590.
Página 204, arriba a la izquierda. Traje francés. **Arriba a la derecha.** Traje calabrés. **Abajo a la izquierda.** Campesino en el mercado de Venecia. **Abajo a la derecha.** Noble francés antiguo. Cesare Vecellio, *Degli abiti antichi e moderni di diverse parti del mondo,* s.l., 1590.
Página 205, a la izquierda. Huérfana de los hospitales de Venecia. **A la derecha.** Mujer llevando una vida religiosa. Cesare Vecellio, *Degli abiti antichi e moderni di diverse parti del mondo,* s.l., 1590.
Página 206, arriba a la izquierda. Esposada del Friul. **Abajo a la izquierda.** Ropa de casa de las señoras nobles de Cividale de Bellune. **A la derecha.** Traje de mujer noble de Cividale de Bellune. Cesare Vecellio, *Degli abiti antichi e moderni di diverse parti del mondo,* s.l., 1590.
Página 207. Portador de cestas. Cesare Vecellio, *Degli abiti antichi e moderni di diverse parti del mondo,* s.l., 1590.
Página 208, arriba a la izquierda. Señora noble de Conigliano. **arriba en el centro.** Matrona de Padova. **Arriba a la derecha.** Mujer noble moderna de Padova. **Abajo en el centro.** Traje de Brescia y de Verona. **Abajo a la izquierda.** Mujer casada de Padova. **Abajo a la derecha.** Traje de mujer de Vicence. Cesare Vecellio, *Degli abiti antichi e moderni di diverse parti del mondo,* s.l., 1590.
Página 209, arriba a la izquierda. Matrona de Brescia y de Verona. **Arriba a la derecha.** Matrona y señora de Pérgamo. **Abajo a la izquierda.** Traje de Milano y de Lombardia. **Abajo en el centro.** Noble de Lombardia. **Abajo a la derecha.** Traje de las duquesas de Parma. Cesare Vecellio, *Degli abiti antichi e moderni di diverse parti del mondo,* s.l., 1590.
Página 210, a la izquierda. Traje de algunas señoras lombardas de alta condición. **A la derecha.** Mujer de baja condición. Cesare Vecellio, *Degli abiti antichi e moderni di diverse parti del mondo,* s.l., 1590.
Página 211, a la izquierda. Matrona de Torino. **En el centro.** Nobles genovesas. **A la derecha.** Joven de Torino. Cesare Vecellio, *Degli abiti antichi e moderni di diverse parti del mondo,* s.l., 1590.
Página 212. Traje antiguo de las florentinas jóvenes. Cesare Vecellio, *Degli abiti antichi e moderni di diverse parti del mondo,* s.l., 1590.

Page 215, top left. Costume for Florentine and Lombard women. **Bottom left.** Noble matron of Pisa. **Right.** Young girl of Pisa. Cesare Vecellio, *Degli abiti antichi e moderni di diverse parti del mondo,* s.l., 1590.
Page 216, top left. Venetian bride. **Top right.** Noble bride. **Bottom left.** Bride marrying at Ascension in Venice. **Bottom right.** Bride in public. Cesare Vecellio, *Degli abiti antichi e moderni di diverse parti del mondo,* s.l., 1590.
Page 217. Slave oarsman. Cesare Vecellio, *Degli abiti antichi e moderni di diverse parti del mondo,* s.l., 1590.
Page 218, top left. Costume of the king of France. **Top center.** Costume of the grand duke of Tuscany. **Top right.** Costume of the emperor of Germany. **Bottom right and center.** Costumes of the ecclesiastical electors of the Empire. **Bottom left.** Philippe II, king of Spain. Cesare Vecellio, *Degli abiti antichi e moderni di diverse parti del mondo,* s.l., 1590.
Page 219, left. Sicilian noblewoman at church. **Right.** Sicilian noblewoman at church. Cesare Vecellio, *Degli abiti antichi e moderni di diverse parti del mondo,* s.l., 1590.
Page 220, top left. Prostitute of Bologna. **Top right.** Noble Mantuan matron. **Au centre left.** Young noble Mantuan girl. **Bottom left.** Mantuan matron in formal dress. **Bottom right.** Young girl of Ferrara. Cesare Vecellio, *Degli abiti antichi e moderni di diverse parti del mondo,* n.p., 1590.
Page 221, top left. Women's costume of Romagna. **Top right.** Wife of a Neapolitan baron. **Bottom left.** Matron of Ferrara in formal dress outside of her house. **Bottom right.** Noble of Orléans. Cesare Vecellio, *Degli abiti antichi e moderni di diverse parti del mondo,* n.p., 1590.
Page 222. Noble of Avignon. Cesare Vecellio, *Degli abiti antichi e moderni di diverse parti del mondo,* n.p., 1590.
Page 223, top left. Spanish noble matron. **Top right.** Costume of Vaudemont, Lorraine. **Bottom left.** Young girl of Metz. **Bottom right.** Spanish noble widow. Cesare Vecellio, *Degli abiti antichi e moderni di diverse parti del mondo,* n.p., 1590.
Page 224. Young Spanish girls. Cesare Vecellio, *Degli abiti antichi e moderni di diverse parti del mondo,* n.p., 1590.
Page 225, top left. Plebeian of Vizcaya. **Top right.** Woman of Verdun, Lorraine. **Au centre.** Alsatian woman. **Bottom left.** Noble Bohemian woman. **Bottom right.** Servant of Dantzig, Pomerania or Denmark. Cesare Vecellio, *Degli abiti antichi e moderni di diverse parti del mondo,* n.p., 1590.
Page 226, left. English sailor. **Right.** Grand duke of Moscovy. Cesare Vecellio, *Degli abiti antichi e moderni di diverse parti del mondo,* n.p., 1590.
Page 227. Noblewoman of Cologne. Cesare Vecellio, *Degli abiti antichi e moderni di diverse parti del mondo,* n.p., 1590.
Page 228, left. Swedish matron. **Top right.** Nuremberg bride in formal dress. **Bottom right.** Noble Nuremberg matron in formal dress. Cesare Vecellio, *Degli abiti antichi e moderni di diverse parti del mondo,* n.p., 1590.
Page 229, left. German carter. **Right.** Costume of the senator of Lippe and the principal inhabitants of the city. **Center.** Dutch merchant. Cesare Vecellio, *Degli abiti antichi e moderni di diverse parti del mondo,* n.p., 1590.
Pages 230-231. Jean-Jacques Kobel, costumes of German foot soldiers, 17th century. Émile Reiber, *L'Art pour tous,* Paris, 1861.
Page 232. Grenadier, 1670. Friedrich Hottenroth, *Die Bilder aus dem Handbuch der Deutschen Tracht,* Hanovre, 1892-1896.

Page 215, en haut à gauche. Costume de femme pour Florence et la Lombardie. **En bas à gauche.** Noble matrone de Pise. **À droite.** Jeune fille de Pise. Cesare Vecellio, *Degli abiti antichi e moderni di diverse parti del mondo,* s.l., 1590.
Page 216, en haut à gauche. Épousée vénitienne. **En haut à droite.** Noble épousée. **En bas à gauche.** Mariée vénitienne au moment de l'ascension. **En bas à droite.** Épousée hors de chez elle. Cesare Vecellio, *Degli abiti antichi e moderni di diverse parti del mondo,* s.l., 1590.
Page 217. Esclave rameur. Cesare Vecellio, *Degli abiti antichi e moderni di diverse parti del mondo,* s.l., 1590.
Page 218, en haut à gauche. Costume du roi de France. **En haut au centre.** Costume du grand duc de Toscane. **En haut à droite.** Costume de l'Empereur d'Allemagne. **En bas à droite et au centre.** Costumes des électeurs ecclésiastiques de l'Empire. **En bas à gauche.** Philippe II, roi d'Espagne. Cesare Vecellio, *Degli abiti antichi e moderni di diverse parti del mondo,* s.l., 1590.
Page 219, à gauche. Noble sicilienne à l'église. **À droite.** Noble sicilienne à l'église. Cesare Vecellio, *Degli abiti antichi e moderni di diverse parti del mondo,* s.l., 1590.
Page 220, en haut à gauche. Prostituée bolonaise. **En haut à droite.** Noble matrone de Mantoue. **Au centre à gauche.** Jeune fille noble de Mantoue. **En bas à gauche.** Matrone de Mantoue. **En bas à droite.** Jeune fille de Ferrare. Cesare Vecellio, *Degli abiti antichi e moderni di diverse parti del mondo,* s.l., 1590.
Page 221, en haut à gauche. Costume de femme de Romagne. **En haut à droite.** Femme de baron napolitain. **En bas à gauche.** Matrone de Ferrare en toilette hors de chez elle. **En bas à droite.** Noble orléanaise. Cesare Vecellio, *Degli abiti antichi e moderni di diverse parti del mondo,* s.l., 1590.
Page 222. Noble avignonaise. Cesare Vecellio, *Degli abiti antichi e moderni di diverse parti del mondo,* s.l., 1590.
Page 223, en haut à gauche. Noble matrone d'Espagne. **En haut à droite.** Costume de Vaudemont en Lorraine. **En bas à gauche.** Jeune fille de Metz. **En bas à droite.** Noble veuve espagnole. Cesare Vecellio, *Degli abiti antichi e moderni di diverse parti del mondo,* s.l., 1590.
Page 224. Jeunes filles espagnoles. Cesare Vecellio, *Degli abiti antichi e moderni di diverse parti del mondo,* s.l., 1590.
Page 225, en haut à gauche. Plébéienne de Biscaye. **En haut à droite.** Femme de Verdun en Lorraine. **Au centre.** Alsacienne. **En bas à gauche.** Noble dame de Bohème. **En bas à droite.** Servante de Dantzig, de Poméranie ou du Danemark. Cesare Vecellio, *Degli abiti antichi e moderni di diverse parti del mondo,* s.l., 1590.
Page 226, à gauche. Marin anglais. **À droite.** Grand duc de Moscovie. Cesare Vecellio, *Degli abiti antichi e moderni di diverse parti del mondo,* s.l., 1590.
Page 227. Dame noble de Cologne. Cesare Vecellio, *Degli abiti antichi e moderni di diverse parti del mondo,* s.l., 1590.
Page 228, à gauche. Matrone suédoise. **En haut à droite.** Épousée de Nuremberg en toilette. **En bas à droite.** Noble matrone de Nuremberg en toilette. Cesare Vecellio, *Degli abiti antichi e moderni di diverse parti del mondo,* s.l., 1590.
Page 229, à gauche. Charretier allemand. **À droite.** Costume de sénateur de Lippe et des principaux habitants de cette ville. **Au centre.** Marchand des Pays-bas. Cesare Vecellio, *Degli abiti antichi e moderni di diverse parti del mondo,* s.l., 1590.
Pages 230-231. Jean-Jacques Kobel, costumes de fantassins allemands du XVIe siècle. Émile Reiber, *L'Art pour tous,* Paris, 1861.

Seite 213, Oben und unten links. Edeldamen von Siena. **Oben rechts.** Kleidung jungverheirateter florentinischer Frauen. **Mitte rechts.** Moderne Kleidung junger toskanischer Mädchen aus noblem Hause. **Unten rechts.** Kleidung florentinischer Frauen der hohen Gesellschaft. Cesare Vecellio, *Degli abiti antichi e moderni di diverse parti del mondo,* s.l., 1590.
Seite 214, Links. Kleidung der ersten Magistrate von Florenz. **Rechts.** Florentinische Alltagskleidung. Cesare Vecellio, *Degli abiti antichi e moderni di diverse parti del mondo,* s.l., 1590.
Seite 215, Oben links. Kleidung der Frauen von Florenz und Lombardien. **Unten links.** Nobelmatrone von Pisa. **Rechts.** Junges Mädchen von Pisa. Cesare Vecellio, *Degli abiti antichi e moderni di diverse parti del mondo,* s.l., 1590.
Seite 216, Oben links. Venezianische Ehefrauen. **Oben rechts.** Noble verheiratete Frau. **Unten links.** Venezianische Frau, die heiratet zum Zeitpunkt des religiösen Festes Himmelfahrt. **Unten rechts.** Verheiratete Frau außerhalb ihres Hauses. Cesare Vecellio, *Degli abiti antichi e moderni di diverse parti del mondo,* s.l., 1590.
Seite 217. Sklave zum Rudern bestimmt. Cesare Vecellio, *Degli abiti antichi e moderni di diverse parti del mondo,* s.l., 1590.
Seite 218, Oben links. Kleidung des Königs von Frankreich. **Oben Mitte.** Kleidung des Großherzogs der Toskana. **Oben rechts.** Kleidung des deutschen Kaisers. **Unten rechts und Mitte.** Kleidung der Wähler des kirchlichen Imperiums. **Unten links.** Philippe II, König von Spanien. Cesare Vecellio, *Degli abiti antichi e moderni di diverse parti del mondo,* s.l., 1590.
Seite 219, Links. Sizilianische Edeldame in der Kirche. **Rechts.** Sizilianische Edeldame in der Kirche. Cesare Vecellio, *Degli abiti antichi e moderni di diverse parti del mondo,* s.l., 1590.
Seite 220, Oben links. Prostituierte aus Bologna. **Oben rechts.** Nobelmatrone von Mantua. **Mitte links.** Junges Mädchen aus noblem Hause von Mantua. **Unten links.** Matrone von Mantua. **Unten rechts.** Junges Mädchen aus Ferrare. Cesare Vecellio, *Degli abiti antichi e moderni di diverse parti del mondo,* s.l., 1590.
Seite 221, Oben links. Kleidung einer Frau aus Rumänien. **Oben rechts.** Frau eines Barons aus Neapel. **Unten links.** Matrone von Ferrare außerhalb ihres Hauses. **Unten rechts.** Edeldame aus Orléans. Cesare Vecellio, *Degli abiti antichi e moderni di diverse parti del mondo,* s.l., 1590.
Seite 222. Edeldame aus Avignon. Cesare Vecellio, *Degli abiti antichi e moderni di diverse parti del mondo,* s.l., 1590.
Seite 223, Oben links. Nobelmatrone von Spanien. **Oben rechts.** Kleidung des Vaudemont in Lothringen. **Unten links.** Junges Mädchen aus Metz. **Unten rechts.** Noble spanische Witwe. Cesare Vecellio, *Degli abiti antichi e moderni di diverse parti del mondo,* s.l., 1590.
Seite 224. Junge spanische Mädchen. Cesare Vecellio, *Degli abiti antichi e moderni di diverse parti del mondo,* s.l., 1590.
Seite 225, Oben links. Wasserträgerin von Vizcaya. **Oben rechts.** Frau in Verdun aus der Region Lothringen. **Mitte.** Elsässerin. **Unten links.** Edeldame der Bohème. **Unten rechts.** Dienerin aus Danzig, Pommern oder Dänemark. Cesare Vecellio, *Degli abiti antichi e moderni di diverse parti del mondo,* s.l., 1590.
Seite 226, Links. Englischer Seemann. **Rechts.** Großherzog von Moskau. Cesare Vecellio, *Degli abiti antichi e moderni di diverse parti del mondo,* s.l., 1590.
Seite 227. Edeldame aus Köln. Cesare Vecellio, *Degli abiti antichi e moderni di diverse parti del mondo,* s.l., 1590.
Seite 228, Links. Schwedische Matrone. **Oben rechts.** Ehefrau in Nürnberg. **Unten rechts.** Nobelmatrone von Nürnberg. Cesare

Página 213, arriba y abajo a la izquierda. Sienesas nobles. **Arriba a la derecha.** Traje de casadas florentinas jóvenes. **en el centro a la derecha.** Traje moderno de las jóvenes nobles de Toscana. **Abajo a la derecha.** Traje de las mujeres de la alta nobleza florentina. Cesare Vecellio, *Degli abiti antichi e moderni di diverse parti del mondo,* s.l., 1590.
Página 214, a la izquierda. Traje de los primeros magistrados florentinos. **A la derecha.** Traje ordinario de los florentinos. Cesare Vecellio, *Degli abiti antichi e moderni di diverse parti del mondo,* s.l., 1590.
Página 215, arriba a la izquierda. Traje de mujer florentina y lombarda. **Abajo a la izquierda.** Matrona noble de Pisa. **A la derecha.** Joven de Pisa. Cesare Vecellio, *Degli abiti antichi e moderni di diverse parti del mondo,* s.l., 1590.
Página 216, arriba a la izquierda. Esposada veneciana. **Arriba a la derecha.** Esposada noble . **Abajo a la izquierda.** Mujer que se casa en el momento de la Ascensión, en Venecia. **Abajo a la derecha.** Esposada fuera de su casa. Cesare Vecellio, *Degli abiti antichi e moderni di diverse parti del mondo,* s.l., 1590.
Página 217. Esclavo remero. Cesare Vecellio, *Degli abiti antichi e moderni di diverse parti del mondo,* s.l., 1590.
Página 218, arriba a la izquierda. Traje del rey de Francia. **arriba en el centro.** Traje del duque mayor de Toscana. **Arriba a la derecha.** Traje del Emperador de Alemania. **Abajo a la derecha y en el centro.** Trajes de los electores eclesiásticos del imperio. **Abajo a la izquierda.** Felipe II, rey de España. Cesare Vecellio, *Degli abiti antichi e moderni di diverse parti del mondo,* s.l., 1590.
Página 219. Nobles sicilianas en la iglesia. Cesare Vecellio, *Degli abiti antichi e moderni di diverse parti del mondo,* s.l., 1590.
Página 220, arriba a la izquierda. Prostituta boloñesa. **Arriba a la derecha.** Matrona noble de Mantova. **En el centro a la izquierda.** Joven noble de Mantova. **Abajo a la izquierda.** Matrona de Mantova. **Abajo a la derecha.** Joven de Ferrara. Cesare Vecellio, *Degli abiti antichi e moderni di diverse parti del mondo,* s.l., 1590.
Página 221, arriba a la izquierda. Traje de mujer de Romaña. **Arriba a la derecha.** Mujer de un barón napolitano. **Abajo a la izquierda.** Matrona de Ferrara fuera de su casa. **Abajo a la derecha.** Noble de Orléans. Cesare Vecellio, *Degli abiti antichi e moderni di diverse parti del mondo,* s.l., 1590.
Página 222. Noble aviñonesa. Cesare Vecellio, *Degli abiti antichi e moderni di diverse parti del mondo,* s.l., 1590.
Página 223, arriba a la izquierda. Noble matrona española. **Arriba a la derecha.** Traje de Vaudemont en Lorena. **Abajo a la izquierda.** Joven de Metz. **Abajo a la derecha.** Noble viuda española. Cesare Vecellio, *Degli abiti antichi e moderni di diverse parti del mondo,* s.l., 1590.
Página 224. Jóvenes españolas. Cesare Vecellio, *Degli abiti antichi e moderni di diverse parti del mondo,* s.l., 1590.
Página 225, arriba a la izquierda. Plebeya de Vizcaya. **Arriba a la derecha.** Mujer de Verdun en Lorena. **En el centro.** Alsaciano. **Abajo a la izquierda.** Noble señora de Bohemia. **Abajo a la derecha.** Criada de Dantzig, de Pomerania o del Dinamarca. Cesare Vecellio, *Degli abiti antichi e moderni di diverse parti del mondo,* s.l., 1590.
Página 226, a la izquierda. Marino inglés. **A la derecha.** Duque mayor de Moscovia. Cesare Vecellio, *Degli abiti antichi e moderni di diverse parti del mondo,* s.l., 1590.
Página 227. Señora noble de Colonia. Cesare Vecellio, *Degli abiti antichi e moderni di diverse parti del mondo,* s.l., 1590.

Pages 233-234. M.G. Hatot, foot soldiers, 17th century. Émile Reiber, *L'Art pour tous,* Paris, 1861.
Page 235. Trumpeter and timpanist of the "grand carrousel du roy", 17th century. Émile Reiber, *L'Art pour tous,* Paris, 1861.
Page 236, left. Statue of Admiral Duquesne by Roguier. **Right.** Statue of the Great Condé by Jean David. J.G. Heck, *Atlas systématique de gravures pour servir au dictionnaire de la conversation. Encyclopédie iconographique des sciences et des arts,* Paris, 1851.
Page 237, top. German headdresses and ruffles, 17th century. **Center and bottom.** Costumes of the German bourgeoisie, first half of the 17th century. Friedrich Hottenroth, *Die Bilder aus dem Handbuch der Deutschen Tracht,* Hanover, 1892-1896.
Page 238. Costumes of the German bourgeoisie, first half of the 17th century. Friedrich Hottenroth, *Die Bilder aus dem Handbuch der Deutschen Tracht,* Hanover, 1892-1896.
Pages 239 to 241. Costumes of the German bourgeoisie, 17th century. Friedrich Hottenroth, *Die Bilder aus dem Handbuch der Deutschen Tracht,* Hanover, 1892-1896.
Page 242, top. Costumes of Augsbourg, first half of the 17th century. **Bottom.** German regional women's costumes, first half of the 17th century. Friedrich Hottenroth, *Die Bilder aus dem Handbuch der Deutschen Tracht,* Hanover, 1892-1896.
Page 243. Costumes of Strasbourg, 1668. Friedrich Hottenroth, *Die Bilder aus dem Handbuch der Deutschen Tracht,* Hanover, 1892-1896.
Page 244. Costumes of Nuremberg, 1648. Friedrich Hottenroth, *Die Bilder aus dem Handbuch der Deutschen Tracht,* Hanover, 1892-1896.
Page 245. Soldiers' costumes, 1600-1640. Friedrich Hottenroth, *Die Bilder aus dem Handbuch der Deutschen Tracht,* Hanover, 1892-1896.
Page 246. Costume of the prince of Brandebourg, Friedrich Hottenroth, *Die Bilder aus dem Handbuch der Deutschen Tracht,* Hanover, 1892-1896.
Page 247, top. Costumes of Frankfurt, 17th and early 18th centuries. **Bottom.** Costumes of Strasbourg, 1668. Friedrich Hottenroth, *Die Bilder aus dem Handbuch der Deutschen Tracht,* Hanover, 1892-1896.
Page 248, top. German regional costumes, 17th and early 18th centuries. **Center.** Costumes of Strasbourg, 1618. **Bottom.** Costumes of Heidelberg, 1608. Friedrich Hottenroth, *Die Bilder aus dem Handbuch der Deutschen Tracht,* Hanover, 1892-1896.
Page 249. Costumes of Strasbourg, 1668. Friedrich Hottenroth, *Die Bilder aus dem Handbuch der Deutschen Tracht,* Hanover, 1892-1896.
Page 250, top. Costumes of Strasbourg,1668. **Bottom.** German regional women's costumes, mid-17th century. Friedrich Hottenroth, *Die Bilder aus dem Handbuch der Deutschen Tracht,* Hanover, 1892-1896.
Page 251, top. Costumes of Bremen, 1650. **Bottom left.** Costumes of Cologne, 17th century. **Bottom right.** Costume of a Dutch woman, mid-17th century. Friedrich Hottenroth, *Die Bilder aus dem Handbuch der Deutschen Tracht,* Hanover, 1892-1896.
Page 252, top. Costumes of Strasbourg, 17th century. **Bottom.** Costumes of Bremen, 17th century. Friedrich Hottenroth, *Die Bilder aus dem Handbuch der Deutschen Tracht,* Hanover, 1892-1896.
Page 253, top. Costumes of Cologne, mid-17th century. **Bottom.** Netherlander and Dutch costumes, mid-17th century. Friedrich Hottenroth, *Die Bilder aus dem Handbuch der Deutschen Tracht,* Hanover, 1892-1896.
Page 254, top. Costumes of Basel, 1634. **Bottom.** Netherlander and Dutch costumes, mid-17th century. Friedrich Hottenroth, *Die Bilder aus dem Handbuch der Deutschen Tracht,* Hanover, 1892-1896.

Page 232. Grenadier en 1670. Friedrich Hottenroth, *Die Bilder aus dem Handbuch der Deutschen Tracht,* Hanovre, 1892-1896.
Pages 233-234. M.G. Hatot, fantassins, XVIIe siècle. Émile Reiber, *L'Art pour tous,* Paris, 1861.
Page 235. Trompette et timbalier du « grand carrousel du roy », XVIIe siècle. Émile Reiber, *L'Art pour tous,* Paris, 1861.
Page 236, à gauche. Statue de l'amiral Duquesne par Roguier. **À droite.** Statue du grand Condé par Jean David. J.G. Heck, *Atlas systématique de gravures pour servir au dictionnaire de la conversation. Encyclopédie iconographique des sciences et des arts,* Paris, 1851.
Page 237, en haut. Coiffures et fraises allemandes du XVIIe siècle. **Au centre et en bas.** Costumes allemands de la bourgeoisie de la première moitié du XVIIe siècle. Friedrich Hottenroth, *Die Bilder aus dem Handbuch der Deutschen Tracht,* Hanovre, 1892-1896.
Page 238. Costumes allemands de la bourgeoisie de la première moitié du XVIIe siècle. Friedrich Hottenroth, *Die Bilder aus dem Handbuch der Deutschen Tracht,* Hanovre, 1892-1896.
Pages 239 à 241. Costumes allemands de la bourgeoisie du XVIIe siècle. Friedrich Hottenroth, *Die Bilder aus dem Handbuch der Deutschen Tracht,* Hanovre, 1892-1896.
Page 242, en haut. Costumes d'Augsbourg de la première moitié du XVIIe siècle. **En bas.** Costumes allemands régionaux féminins de la première moitié du XVIIe siècle. Friedrich Hottenroth, *Die Bilder aus dem Handbuch der Deutschen Tracht,* Hanovre, 1892-1896.
Page 243. Costumes strasbourgeois, 1668. Friedrich Hottenroth, *Die Bilder aus dem Handbuch der Deutschen Tracht,* Hanovre, 1892-1896.
Page 244. Costumes de Nuremberg, 1648. Friedrich Hottenroth, *Die Bilder aus dem Handbuch der Deutschen Tracht,* Hanovre, 1892-1896.
Page 245. Costumes de soldats entre 1600 et 1640. Friedrich Hottenroth, *Die Bilder aus dem Handbuch der Deutschen Tracht,* Hanovre, 1892-1896.
Page 246. Costume du prince de Brandebourg du XVIIe siècle. Friedrich Hottenroth, *Die Bilder aus dem Handbuch der Deutschen Tracht,* Hanovre, 1892-1896.
Page 247, en haut. Costumes de Francfort-sur-le-Main, XVIIe et début du XVIIIe siècle. **En bas.** Costumes strasbourgeois de 1668. Friedrich Hottenroth, *Die Bilder aus dem Handbuch der Deutschen Tracht,* Hanovre, 1892-1896.
Page 248, en haut. Costumes régionaux allemands du XVIIe et du début du XVIIIe siècles. **Au centre.** Costumes strasbourgeois, 1618. **En bas.** Costumes de Heidelberg, 1608. Friedrich Hottenroth, *Die Bilder aus dem Handbuch der Deutschen Tracht,* Hanovre, 1892-1896.
Page 249. Costumes strasbourgeois, 1668. Friedrich Hottenroth, *Die Bilder aus dem Handbuch der Deutschen Tracht,* Hanovre, 1892-1896.
Page 250, en haut. Costumes strasbourgeois,1668. **En bas.** Costumes régionaux de femmes allemandes au milieu du XVIIe siècle.Friedrich Hottenroth, *Die Bilder aus dem Handbuch der Deutschen Tracht,* Hanovre, 1892-1896.
Page 251, en haut. Costumes de Brême, 1650. **En bas à gauche.** Costumes de Cologne du XVIIe siècle. **En bas à droite.** Costume de femme hollandaise, milieu du XVIIe siècle. Friedrich Hottenroth, *Die Bilder aus dem Handbuch der Deutschen Tracht,* Hanovre, 1892-1896.
Page 252, en haut. Costumes strasbourgeois, XVIIe siècle. **En bas.** Costumes de Brême,XVIIe siècle. Friedrich Hottenroth, *Die Bilder aus dem Handbuch der Deutschen Tracht,* Hanovre, 1892-1896.
Page 253, en haut. Costumes de Cologne, milieu du XVIIe siècle. **En bas.** Costumes néerlandais et hollandais, milieu du XVIIe siècle.

Vecellio, *Degli abiti antichi e moderni di diverse parti del mondo,* s.l., 1590.
Seite 229, Links. Deutscher Fuhrmann. **Rechts.** Kleidung des Senators von Lippe und der königlichen Einwohner dieser Stadt. **Mitte.** Holländischer Händler. Cesare Vecellio, *Degli abiti antichi e moderni di diverse parti del mondo,* s.l., 1590.
Seite 230 bis 231. Jean-Jacques Kobel, Kleider deutscher Fußsoldaten des 15. Jh. Émile Reiber, *L'Art pour tous,* Paris, 1861.
Seite 232, Grenadier um 1670. Friedrich Hottenroth, *Die Bilder aus dem Handbuch der Deutschen Tracht,* Hannover, 1892-1896.
Seite 233 bis 234. M.G. Hatot, Fußsoldaten, 17. Jh. Émile Reiber, *L'Art pour tous,* Paris, 1861.
Seite 235. Trompeter und Trommler des "Grand Carrousel du Roy", 17. Jh. Émile Reiber, *L'Art pour tous,* Paris, 1861.
Seite 236, Links. Statue von Roguier des Admiral Duquesne. **Rechts.** Statue des Großen Condé von Jean David. J.G. Heck, Bilderatlas, Paris, 1851.
Seite 237, Oben. Frisuren und Kragen aus der ersten Hälfte des 17. Jh. **Mitte und unten.** Trachten aus der ersten Hälfte des 17. Jh. Friedrich Hottenroth, *Die Bilder aus dem Handbuch der Deutschen Tracht,* Hannover, 1892-1896.
Seite 238. Trachten aus der ersten Hälfte des 17. Jh. Friedrich Hottenroth, *Die Bilder aus dem Handbuch der Deutschen Tracht,* Hannover, 1892-1896.
Seite 239 bis 241. Trachten aus der zweiten Hälfte des 17. Jh. Friedrich Hottenroth, *Die Bilder aus dem Handbuch der Deutschen Tracht,* Hannover, 1892-1896.
Seite 242, Oben. Augsburger Trachten aus der ersten Hälfte des 17. Jh. **Unten.** Frauen aus Dithmarschen aus dem 17. Jh. Friedrich Hottenroth, *Die Bilder aus dem Handbuch der Deutschen Tracht,* Hannover, 1892-1896.
Seite 243. Straßburger Trachten von 1668. Friedrich Hottenroth, *Die Bilder aus dem Handbuch der Deutschen Tracht,* Hannover, 1892-1896.
Seite 244. Nürnberger Trachten von 1648. Friedrich Hottenroth, *Die Bilder aus dem Handbuch der Deutschen Tracht,* Hannover, 1892-1896.
Seite 245. Soldatentrachten von 1600 bis 1640. Friedrich Hottenroth, *Die Bilder aus dem Handbuch der Deutschen Tracht,* Hannover, 1892-1896.
Seite 246. Kurfürst von Brandenburg. Friedrich Hottenroth, *Die Bilder aus dem Handbuch der Deutschen Tracht,* Hannover, 1892-1896.
Seite 247, Oben. Trachten aus Frankfurt am Main aus des 17. Jh. **Unten.** Straßburger Trachten von 1668. Friedrich Hottenroth, *Die Bilder aus dem Handbuch der Deutschen Tracht,* Hannover, 1892-1896.
Seite 248, Oben. Volkstrachten aus des 17. Jh. und erste Hälfte des 18. Jh. **Mitte.** Straßburger Trachten von 1618. **Unten.** Heidelberger Trachten von 1608. Friedrich Hottenroth, *Die Bilder aus dem Handbuch der Deutschen Tracht,* Hannover, 1892-1896.
Seite 249. Kleidung aus Strassburg von 1668. Friedrich Hottenroth, *Die Bilder aus dem Handbuch der Deutschen Tracht,* Hannover, 1892-1896.
Seite 250, Oben. Straßburger Trachten von 1668. **Unten.** Frauentrachten aus der Mitte des 17. Jh. Friedrich Hottenroth, *Die Bilder aus dem Handbuch der Deutschen Tracht,* Hannover, 1892-1896.
Seite 251, Oben. Trachten aus Bremen von 1650. **Unten links.** Frauentrachten aus Köln aus der Mitte des 17. Jh. **Unten rechts.** Holländische Frauentracht aus der Mitte des 17. Jh. Friedrich Hottenroth, *Die Bilder aus dem Handbuch der Deutschen Tracht,* Hannover, 1892-1896.

Página 228, a la izquierda. Matrona sueca. **Arriba a la derecha.** Esposada de Nuremberg. **Abajo a la derecha.** Matrona noble de Nuremberg. Cesare Vecellio, *Degli abiti antichi e moderni di diverse parti del mondo,* s.l., 1590.
Página 229, a la izquierda. Carretero alemán. **A la derecha.** Traje de senador de Lippe y de los habitantes principales de aquel ciudad. **En el centro.** Vendedor de los Países Bajos. Cesare Vecellio, *Degli abiti antichi e moderni di diverse parti del mondo,* s.l., 1590.
Páginas 230-231. Jean-Jacques Kobel, trajes de infantes alemanes del siglo XVI. Émile Reiber, *L'Art pour tous,* París, 1861.
Página 232. Granadero en 1670. Friedrich Hottenroth, *Die Bilder aus dem Handbuch der Deutschen Tracht,* Hannover, 1892-1896.
Páginas 233-234. M.G. Hatot, Infantes, siglo XVII. Émile Reiber, *L'Art pour tous,* París, 1861.
Página 235. Trompeta y timbalero del "grand carrousel du roy", siglo XVII. Émile Reiber, *L'Art pour tous,* París, 1861.
Página 236, a la izquierda. Estatua del almirante Duquesne por Roguier. **A la derecha.** Estatua del Condé mayor por Jean David. J.G. Heck, *Atlas systématique de gravures pour servir au dictionnaire de la conversation. Encyclopédie iconographique des sciences et des arts,* París, 1851.
Página 237, arriba. Peinados y alechugados alemanes del siglo XVII. **En el centro y abajo.** Trajes alemanes de la burguesía de la primera mitad del siglo XVII. Friedrich Hottenroth, *Die Bilder aus dem Handbuch der Deutschen Tracht,* Hannover, 1892-1896.
Página 238. Trajes alemanes de la burguesía de la primera mitad del siglo XVII. Friedrich Hottenroth, *Die Bilder aus dem Handbuch der Deutschen Tracht,* Hannover, 1892-1896.
Páginas 239 à 241. Trajes alemanes de la burguesía del siglo XVII. Friedrich Hottenroth, *Die Bilder aus dem Handbuch der Deutschen Tracht,* Hannover, 1892-1896.
Página 242, arriba. Trajes de Augsburgo de la primera mitad del siglo XVII. **Abajo.** Trajes alemanes regionales femeninos de la primera mitad del siglo XVII. Friedrich Hottenroth, *Die Bilder aus dem Handbuch der Deutschen Tracht,* Hannover, 1892-1896.
Página 243. Trajes de Estrasburgo, 1668. Friedrich Hottenroth, *Die Bilder aus dem Handbuch der Deutschen Tracht,* Hannover, 1892-1896.
Página 244. Trajes de Nuremberg, 1648. Friedrich Hottenroth, *Die Bilder aus dem Handbuch der Deutschen Tracht,* Hannover, 1892-1896.
Página 245. Trajes de soldados mientras 1600 y 1640. Friedrich Hottenroth, *Die Bilder aus dem Handbuch der Deutschen Tracht,* Hannover, 1892-1896.
Página 246. Traje del príncipe de Brandeburgo del siglo XVII. Friedrich Hottenroth, *Die Bilder aus dem Handbuch der Deutschen Tracht,* Hannover, 1892-1896.
Página 247, arriba. Trajes de Francfort del Main, siglo XVII y inicio del XVIII. **Abajo.** Trajes de Estrasburgo, 1668. Friedrich Hottenroth, *Die Bilder aus dem Handbuch der Deutschen Tracht,* Hannover, 1892-1896.
Página 248, arriba. Trajes regionales alemanes del siglo XVII y del inicio del siglo XVIII. **En el centro.** Trajes de Estrasburgo, 1618. **Abajo.** Trajes de Heidelberg, 1608. Friedrich Hottenroth, *Die Bilder aus dem Handbuch der Deutschen Tracht,* Hannover, 1892-1896.
Página 249. Trajes de Estrasburgo, 1668. Friedrich Hottenroth, *Die Bilder aus dem Handbuch der Deutschen Tracht,* Hannover, 1892-1896.
Página 250, arriba. Trajes de Estrasburgo, 1668. **Abajo.** Trajes regionales de las mujeres alemanes en el siglo XVII.Friedrich Hottenroth, *Die Bilder aus dem Handbuch der Deutschen Tracht,* Hannover, 1892-1896.

Page 255. Cl. Gillot, Faune costume, 18th century. Émile Reiber, *L'Art pour tous,* Paris, 1861.
Pages 256-257. Cl. Gillot, Triton costume, 18th century. Émile Reiber, *L'Art pour tous,* Paris, 1861.
Page 258. Cl. Gillot, Hour of the day costume, 18th century. Émile Reiber, *L'Art pour tous,* Paris, 1861.
Page 259. Cl. Gillot, Hour of the night costume, 18th century. Émile Reiber, *L'Art pour tous,* Paris, 1861.
Page 260. Cl. Gillot, Sun costume,18th century. Émile Reiber, *L'Art pour tous,* Paris, 1861.
Page 261. Cl. Gillot, Hunter costume, 18th century. Émile Reiber, *L'Art pour tous,* Paris, 1861.
Page 262. Costumes of German bourgeois woman, first half of the 18th century. Friedrich Hottenroth, *Die Bilder aus dem Handbuch der Deutschen Tracht,* Hanover, 1892-1896.
Page 263, top. Costumes of Zurich, mid-18th century. **Bottom.** German mens' costumes, 1750-1790. Friedrich Hottenroth, *Die Bilder aus dem Handbuch der Deutschen Tracht,* Hanover, 1892-1896.
Page 264, top. Costumes of Zurich, mid-18th century. **Center.** English costumes and head-dresses, first half of the 18th century. **Bottom.** Jabots and head-dresses, first half of the 18th century. Friedrich Hottenroth, *Die Bilder aus dem Handbuch der Deutschen Tracht,* Hanover, 1892-1896.
Page 265. Costumes of German bourgeois woman, second half of the 18th century. Friedrich Hottenroth, *Die Bilder aus dem Handbuch der Deutschen Tracht,* Hanover, 1892-1896.
Page 266, top. Costumes of German bourgeois, 1790-1804. **Au centre left.** Costumes of Nuremberg, 18th century. **Au centre Right.** Costumes of Saxony, 1750. **Bottom**, costumes of German bourgeois, first half of the 18th century. Friedrich Hottenroth, *Die Bilder aus dem Handbuch der Deutschen Tracht,* Hanover, 1892-1896.
Page 267. Womens' costumes, 1750-1790. Friedrich Hottenroth, *Die Bilder aus dem Handbuch der Deutschen Tracht,* Hanover, 1892-1896.
Page 268. Evening dress. *Harper's Bazar,* New York, 1873.
Page 269, left. Evening dress. **Right.** Traveling dress. Rudolph Ackermann, *Repository of Arts, Literature, Commerce, Manufactures, Fashions and Politics,* London, 1818.
Page 270, left. Riding dress, 1818. **Right.** Dinner dress, 1825. Rudolph Ackermann, *Repository of Arts, Literature, Commerce, Manufactures, Fashions and Politics,* London.
Page 271, top left. Evening dress, 1825. **Bottom left.** Morning dress, 1819. **Right.** Promenade dress, 1825. Rudolph Ackermann, *Repository of Arts, Literature, Commerce, Manufactures, Fashions and Politics,* London.
Page 272. Court toilette. Rudolph Ackermann, *Repository of Arts, Literature, Commerce, Manufactures, Fashions and Politics,* London, 1822.
Page 273, top left. Ball dress, 1824. **Top right.** Promenade dress, 1818. **Bottom.** Evening and mourning dresses, 1820. Rudolph Ackermann, *Repository of Arts, Literature, Commerce, Manufactures, Fashions and Politics,* London.
Page 274, left. Ball dress, 1828. **Right.** Dinner dress, 1826. Rudolph Ackermann, *Repository of Arts, Literature, Commerce, Manufactures, Fashions and Politics,* London.
Page 275. Promenade costume. Rudolph Ackermann, *Repository of Arts, Literature, Commerce, Manufactures, Fashions and Politics,* London, 1826.
Page 276, left. Ball dress, 1826. **Top right.** Evening dress, 1822. **Bottom right.** Evening dress, 1827. Rudolph Ackermann,

Friedrich Hottenroth, *Die Bilder aus dem Handbuch der Deutschen Tracht,* Hanovre, 1892-1896.
Page 254, en haut. Costumes bâlois, 1634. **En bas.** Costumes néerlandais et hollandais, milieu du XVIIe siècle. Friedrich Hottenroth, *Die Bilder aus dem Handbuch der Deutschen Tracht,* Hanovre, 1892-1896.
Page 255. Cl. Gillot, Costume de faune, XVIIIe siècle. Émile Reiber, *L'Art pour tous,* Paris, 1861.
Pages 256-257. Cl. Gillot, Costume de triton, XVIIIe siècle. Émile Reiber, *L'Art pour tous,* Paris, 1861.
Page 258. Cl. Gillot, Costume d'heure du jour, XVIIIe siècle. Émile Reiber, *L'Art pour tous,* Paris, 1861.
Page 259. Cl. Gillot, Costume d'heure de la nuit, XVIIIe siècle. Émile Reiber, *L'Art pour tous,* Paris, 1861.
Page 260. Cl. Gillot, Costume de soleil, XVIIIe siècle. Émile Reiber, *L'Art pour tous,* Paris, 1861.
Page 261. Cl. Gillot, Costume de chasseur, XVIIIe siècle. Émile Reiber, *L'Art pour tous,* Paris, 1861.
Page 262. Costumes de bourgeoises allemandes, première moitié du XVIIIe siècle. Friedrich Hottenroth, *Die Bilder aus dem Handbuch der Deutschen Tracht,* Hanovre, 1892-1896.
Page 263, en haut. Costumes de Zurich, milieu du XVIIIe siècle. **En bas.** Costumes masculins allemands de 1750 à 1790. Friedrich Hottenroth, *Die Bilder aus dem Handbuch der Deutschen Tracht,* Hanovre, 1892-1896.
Page 264, en haut. Costumes zurichois, milieu du XVIIIe siècle. **Au centre.** Costumes et coiffures anglaises, première moitié du XVIIIe siècle. **En bas.** Jabots et coiffures, première moitié du XVIIIe siècle. Friedrich Hottenroth, *Die Bilder aus dem Handbuch der Deutschen Tracht,* Hanovre, 1892-1896.
Page 265. Costumes de bourgeoises allemandes, deuxième moitié du XVIIIe siècle. Friedrich Hottenroth, *Die Bilder aus dem Handbuch der Deutschen Tracht,* Hanovre, 1892-1896.
Page 266, en haut. Costumes de bourgeois allemands de 1790 à 1804. **Au centre à gauche.** Costumes de Nuremberg, XVIIIe siècle. **Au centre à droite.** Costumes de Saxe en 1750. **En bas**, costumes de bourgeois allemands, première moitié du XVIIIe siècle. Friedrich Hottenroth, *Die Bilder aus dem Handbuch der Deutschen Tracht,* Hanovre, 1892-1896.
Page 267. Costumes féminins de 1750 à 1790. Friedrich Hottenroth, *Die Bilder aus dem Handbuch der Deutschen Tracht,* Hanovre, 1892-1896.
Page 268. Robe du soir. *Harper's bazar,* New York, 1873.
Page 269, à gauche. Robe du soir. **À droite.** Robe de voyage. Rudolph Ackermann, *Repository of Arts, Literature, Commerce, Manufactures, Fashions and Politics,* Londres, 1818.
Page 270, à gauche. Robe d'équitation, 1818. **À droite.** Robe de dîner, 1825. Rudolph Ackermann, *Repository of Arts, Literature, Commerce, Manufactures, Fashions and Politics,* Londres.
Page 271, en haut à gauche. Robe du soir, 1825. **En bas à gauche.** Robe du matin, 1819. **À droite.** Robe de promenade, 1825. Rudolph Ackermann, *Repository of Arts, Literature, Commerce, Manufactures, Fashions and Politics,* Londres.
Page 272. Toilette de cour. Rudolph Ackermann, *Repository of Arts, Literature, Commerce, Manufactures, Fashions and Politics,* Londres, 1822.
Page 273, en haut à gauche. Robe de bal, 1824. **En haut à droite.** Robe de promenade, 1818. **En bas.** Robe du soir et de deuil, 1820. Rudolph Ackermann, *Repository of Arts, Literature, Commerce, Manufactures, Fashions and Politics,* Londres.

Seite 252, Oben. Straßburger Trachten aus des 17. Jh. **Unten.** Trachten aus Bremen aus des 17. Jh. Friedrich Hottenroth, *Die Bilder aus dem Handbuch der Deutschen Tracht,* Hannover, 1892-1896.
Seite 253, Oben. Frauentrachten aus Köln aus der Mitte des 17. Jh. **Unten,** Niederrheinische und Holländische Frauentrachten aus der Mitte des 17. Jh. Friedrich Hottenroth, *Die Bilder aus dem Handbuch der Deutschen Tracht,* Hannover, 1892-1896.
Seite 254, Oben. Basler Trachten von 1634. **Unten,** Niederrheinische und Holländische Frauentrachten aus der Mitte des 17. Jh. Friedrich Hottenroth, *Die Bilder aus dem Handbuch der Deutschen Tracht,* Hannover, 1892-1896.
Seite 255. C. Gillot, Faungewand, 18. Jh. Émile Reiber, *L'Art pour tous,* Paris, 1861.
Seite 256 bis 257. C. Gillot, Tritonsgewand, 18. Jh. Émile Reiber, *L'Art pour tous,* Paris, 1861.
Seite 258. C. Gillot, Gewand von Stunde und Tag, 18. Jh. Émile Reiber, *L'Art pour tous,* Paris, 1861.
Seite 259. C. Gillot, Gewand von Stunde und Nacht, 18. Jh. Émile Reiber, *L'Art pour tous,* Paris, 1861.
Seite 260. C. Gillot, Gewand der Sonne, 18. Jh. Émile Reiber, *L'Art pour tous,* Paris, 1861.
Seite 261. C. Gillot, Jägergewand, 18. Jh. Émile Reiber, *L'Art pour tous,* Paris, 1861.
Seite 262. Trachten aus der ersten Hälfte des 18. Jh. Friedrich Hottenroth, *Die Bilder aus dem Handbuch der Deutschen Tracht,* Hannover, 1892-1896.
Seite 263, Oben. Züricher Amtstrachten um die Mitte des 18. Jh. **Oben.** Männertrachten von 1750 bis 1790. Friedrich Hottenroth, *Die Bilder aus dem Handbuch der Deutschen Tracht,* Hannover, 1892-1896.
Seite 264, Oben. Züricher Trachten aus der Mitte des 18. Jh. Mitte, Englische Leibchen und Frisuren aus der ersten Hälfte des 18. Jh. **Oben.** Halsbinden und Frisuren aus der ersten Hälfte des 18. Jh. Friedrich Hottenroth, *Die Bilder aus dem Handbuch der Deutschen Tracht,* Hannover, 1892-1896.
Seite 265. Trachten aus der zweiten Hälfte des 17. Jh. Friedrich Hottenroth, *Die Bilder aus dem Handbuch der Deutschen Tracht,* Hannover, 1892-1896.
Seite 266, Oben. Trachten von 1790 bis 1804. **Mitte links.** Nürnberger Trachten um 1700. **Mitte rechts.** Tracht aus Sachsen-Altenburg um 1750. **Unten.** Trachten aus der ersten Hälfte des 18. Jh. Friedrich Hottenroth, *Die Bilder aus dem Handbuch der Deutschen Tracht,* Hannover, 1892-1896.
Seite 267. Frauentrachten von 1750 bis 1790. Friedrich Hottenroth, *Die Bilder aus dem Handbuch der Deutschen Tracht,* Hannover, 1892-1896. **Seite 268.** Abendkleid. *Harper's bazar,* New York, 1873.
Seite 269, Links. Abendkleid. **Rechts.** Reisekleidung. Rudolph Ackermann, *Repository of Arts, Literature, Commerce, Manufactures, Fashions and Politics,* London.
Seite 270, Links. Reitkleid, 1818. **Rechts.** Kleidung für ein Abendessen, 1825. Rudolph Ackermann, *Repository of Arts, Literature, Commerce, Manufactures, Fashions and Politics,* London.
Seite 271, Oben links. Abendkleid, 1825. **Unten links.** Morgenkleidung, 1819. **Rechts.** Ausgehkleidung, 1825. Rudolph Ackermann, *Repository of Arts, Literature, Commerce, Manufactures, Fashions and Politics,* London.
Seite 272. Hofkleidung. Rudolph Ackermann, *Repository of Arts, Literature, Commerce, Manufactures, Fashions and Politics,* London, 1822.

Página 251, arriba. Trajes de Brema, 1650. **Abajo a la izquierda.** Trajes de Colonia en el siglo XVII. **Abajo a la derecha.** Traje de mujer holandesa, medio del siglo XVII. Friedrich Hottenroth, *Die Bilder aus dem Handbuch der Deutschen Tracht,* Hannover, 1892-1896.
Página 252, arriba. Trajes de Estrasburgo, siglo XVII. **Abajo.** Trajes de Brema, siglo XVII. Friedrich Hottenroth, *Die Bilder aus dem Handbuch der Deutschen Tracht,* Hannover, 1892-1896.
Página 253, arriba. Trajes de Colonia, medio del siglo XVII. **Abajo.** Trajes holandeses, medio del siglo XVII. Friedrich Hottenroth, *Die Bilder aus dem Handbuch der Deutschen Tracht,* Hannover, 1892-1896.
Página 254, arriba. Trajes basilenses, 1634. **Abajo.** Trajes holandeses, medio del siglo XVII. Friedrich Hottenroth, *Die Bilder aus dem Handbuch der Deutschen Tracht,* Hannover, 1892-1896.
Página 255. Cl. Gillot, Vestuario de fauno, siglo XVIII. Émile Reiber, *L'Art pour tous,* París, 1861.
Páginas 256-257. Cl. Gillot, Vestuario de trítono, siglo XVIII. Émile Reiber, *L'Art pour tous,* París, 1861.
Página 258. Cl. Gillot, Vestuario de hora del día, siglo XVIII. Émile Reiber, *L'Art pour tous,* París, 1861.
Página 259. Cl. Gillot, Vestuario de hora de la noche, siglo XVIII. Émile Reiber, *L'Art pour tous,* París, 1861.
Página 260. Cl. Gillot, Vestuario del sol, siglo XVIII. Émile Reiber, *L'Art pour tous,* París, 1861.
Página 261. Cl. Gillot, Vestuario de cazador, siglo XVIII. Émile Reiber, *L'Art pour tous,* París, 1861.
Página 262. Trajes de burguesas alemanas, primero medio del siglo XVIII. Friedrich Hottenroth, *Die Bilder aus dem Handbuch der Deutschen Tracht,* Hannover, 1892-1896.
Página 263, arriba. Trajes de Zurigo, medio del siglo XVIII. **Abajo.** Trajes alemanes, 1750 hasta 1790. Friedrich Hottenroth, *Die Bilder aus dem Handbuch der Deutschen Tracht,* Hannover, 1892-1896.
Página 264, arriba. Trajes de Zurigo, medio del siglo XVIII. **En el centro.** Trajes y peinados ingleses, primero medio del siglo XVIII. **Abajo.** Chorreras y peinados, primero medio del siglo XVIII. Friedrich Hottenroth, *Die Bilder aus dem Handbuch der Deutschen Tracht,* Hannover, 1892-1896.
Página 265. Trajes de burguesas alemanas, segundo medio del siglo XVIII. Friedrich Hottenroth, *Die Bilder aus dem Handbuch der Deutschen Tracht,* Hannover, 1892-1896.
Página 266, arriba. Trajes de burgueses alemanes, 1790 hasta 1804. **En el centro a la izquierda.** Trajes de Nuremberg, siglo XVIII. **En el centro a la derecha.** Trajes de Sajonia en 1750. **Abajo.** Trajes de burgueses alemanes, primero medio del siglo XVIII. Friedrich Hottenroth, *Die Bilder aus dem Handbuch der Deutschen Tracht,* Hannover, 1892-1896.
Página 267. Trajes femeninos de 1750 à 1790. Friedrich Hottenroth, *Die Bilder aus dem Handbuch der Deutschen Tracht,* Hannover, 1892-1896.
Página 268. Traje de noche. *Harper's bazar,* New York, 1873.
Página 269, a la izquierda. Traje de noche. **A la derecha.** Vestido de viaje. Rudolph Ackermann, *Repository of Arts, Literature, Commerce, Manufactures, Fashions and Politics,* Londres, 1818.
Página 270, a la izquierda. Vestido para la equitación, 1818. **A la derecha.** Vestido de cena, 1825. Rudolph Ackermann, *Repository of Arts, Literature, Commerce, Manufactures, Fashions and Politics,* Londres.
Página 271, arriba a la izquierda. Traje de noche, 1825. **Abajo a la izquierda.** Vestido para la mañana, 1819. **A la**

Repository of Arts, Literature, Commerce, Manufactures, Fashions and Politics, London.
Page 277, left. Evening dress, 1821. **Right.** Morning dress, 1821. **Bottom.** Traveling dress, 1820. Rudolph Ackermann, *Repository of Arts, Literature, Commerce, Manufactures, Fashions and Politics,* London.
Page 278. Bridal toilette and girl's dress. *Harper's Bazar,* New York, 1870.
Page 279. Traveling Paletot. *Harper's Bazar,* New York, 1868.
Page 280. Promenade dresses. *Harper's Bazar,* New York, 1867.
Pages 281-282. Promenade costumes. *Harper's Bazar,* New York, 1868.
Page 283, top. Country dresses. **Bottom.** Promenade toilette. *Harper's Bazar,* New York, 1868.
Page 284. Seaside attire for children. *Harper's Bazar,* New York, 1868.
Pages 285-286. Promenade dresses. *Harper's Bazar,* New York, 1869.
Page 287, top. Promenade dresses,1869. **Bottom left.** Bathing costume,1870. **Bottom right.** House dress,1870. *Harper's Bazar,* New York.
Page 288, top. Different skating costumes. **Bottom left.** Evening toilette. **Bottom right.** Visiting toilette. *Harper's Bazar,* New York, 1870.
Page 289. Spring and summer suits for children. *Harper's Bazar,* New York, 1871.
Page 290. Visiting toilette. *Harper's Bazar,* New York, 1872.
Page 291. Children's country toilettes. *Harper's Bazar,* New York, 1868.
Page 292, top and bottom left. Evening dresses, 1872. **Center left.** Walking dress,1873. **Right.** Spring and summer suits for children,1871. *Harper's Bazar,* New York.
Page 293. Walking dress. *Harper's Bazar,* New York, 1872.
Page 294, top left. Promenade costume, 1870. **Top right.** Evening dress,1872. **Bottom.** Bathing costumes for women and children,1871. *Harper's Bazar,* New York.
Page 295. Visiting toilette. *Harper's Bazar,* New York, 1876.
Page 296. Spring and summer coats. *Harper's Bazar,* New York, 1871.
Page 297, left and bottom right. Polonaise costumes, 1881. **Top right.** Promenade costumes, 1876. *Harper's Bazar,* New York.
Page 298. Polonaise costumes, *Harper's Bazar,* New York, 1876.
Page 299, top left. Marquise "Sacque" dress, 1875. **Center left.** Seaside costume, 1877. **Bottom left.** Evening dress,1873. **Right.** Country costumes, 1876. *Harper's Bazar,* New York.
Page 300. Polonaise costume. *Harper's Bazar,* New York, 1881.
Page 301. Dinner dress. *Harper's Bazar,* New York, 1869.
Page 302. Evening dress. *Harper's Bazar,* New York, 1873.
Page 303. Walking dress. *Harper's Bazar,* New York, 1872.
Page 304. Parisian winter costumes. *Harper's Bazar,* New York, 1893.
Page 305, left. Tennis outfit, 1881. **Right.** Opera coats, 1882. *Harper's Bazar,* New York.
Pages 306-307. Evening and ball dresses. *Harper's Bazar,* New York, 1883.
Pages 308-309. Graduation gowns and traveling dresses. *Harper's Bazar,* New York, 1893.
Page 310. Women's costume. *The Home Book of Fashions,* winter 1914.
Page 311, left. Reception dress. **Right.** Women's costume for afternoon tea. *The Home Book of Fashions,* winter 1914.

Page 274, à gauche. Robe de bal, 1828. **À droite.** Robe de dîner, 1826. Rudolph Ackermann, *Repository of Arts, Literature, Commerce, Manufactures, Fashions and Politics,* Londres.
Page 275. Costume de promenade. Rudolph Ackermann, *Repository of Arts, Literature, Commerce, Manufactures, Fashions and Politics,* Londres, 1826.
Page 276, à gauche. Robe de bal, 1826. **En haut à droite.** Robe du soir, 1822. **En bas à droite.** Robe du soir, 1827. Rudolph Ackermann, *Repository of Arts, Literature, Commerce, Manufactures, Fashions and Politics,* Londres.
Page 277, à gauche. Robe du soir, 1821. **À droite.** Robe du matin, 1821. **En bas.** Robe de voyage, 1820. Rudolph Ackermann, *Repository of Arts, Literature, Commerce, Manufactures, Fashions and Politics,* Londres.
Page 278. Robes de mariées et robe de petite fille. *Harper's Bazar,* New York, 1870.
Page 279. Paletot de voyage. *Harper's Bazar,* New York, 1868.
Page 280. Robes de promenade. *Harper's Bazar,* New York, 1867.
Pages 281-282. Costumes de promenade. *Harper's Bazar,* New York, 1868.
Page 283, en haut. Robes de campagne. **En bas.** Toilette de promenade. *Harper's Bazar,* New York, 1868.
Page 284. Costumes de bord de mer pour enfants. *Harper's Bazar,* New York, 1868.
Pages 285-286. Robes de promenade. *Harper's Bazar,* New York, 1869.
Page 287, en haut. Robes de promenade,1869. **En bas à gauche.** Costume de bord de mer,1870. **En bas à droite.** Robe d'intérieur,1870. *Harper's Bazar,* New York.
Page 288, en haut. Différents costumes de patinage. **En bas à gauche.** Robe du soir. **En bas à droite.** Toilette de sortie. *Harper's Bazar,* New York, 1870.
Page 289. Costumes de printemps et d'été pour enfants. *Harper's Bazar,* New York, 1871.
Page 290. Toilette de sortie. *Harper's Bazar,* New York, 1872.
Page 291. Costumes de campagne pour enfants. *Harper's Bazar,* New York, 1868.
Page 292, en haut et en bas à gauche. Robes du soir, 1872. **Au centre à gauche.** Robe de promenade,1873. **À droite.** Tenues de printemps et d'été pour enfants,1871. *Harper's Bazar,* New York.
Page 293. Robe de promenade. *Harper's Bazar,* New York, 1872.
Page 294, en haut à gauche. Costume de promenade, 1870. **En haut à droite.** Robe du soir,1872. **En bas.** Costumes de bain pour femmes et enfants,1871. *Harper's Bazar,* New York.
Page 295. Toilette de sortie. *Harper's Bazar,* New York, 1876.
Page 296. Manteaux de printemps et d'été. *Harper's Bazar,* New York, 1871.
Page 297, à gauche et en bas à droite. Robes « polonaises », 1881. **En haut à droite.** Costume de promenade, 1876. *Harper's Bazar,* New York.
Page 298. Robe « polonaise ». *Harper's Bazar,* New York, 1876.
Page 299, en haut à gauche. Marquise « Sacque »,1875. **Au centre à gauche.** Costume de bord de mer,1877. **En bas à gauche.** Robe du soir,1873. **À droite.** Costume de campagne,1876. *Harper's Bazar,* New York.
Page 300. Robes « polonaises ». *Harper's Bazar,* New York, 1881.
Page 301. Robe de dîner. *Harper's Bazar,* New York, 1869.
Page 302. Robe du soir. *Harper's Bazar,* New York, 1873.
Page 303. Robe de promenade. *Harper's Bazar,* New York, 1872.

Seite 273, Oben links. Ballkleid, 1824. **Oben rechts.** Ausgehkleid, 1818. **Unten.** Abendkleid und Trauerkleid, 1820. Rudolph Ackermann, *Repository of Arts, Literature, Commerce, Manufactures, Fashions and Politics,* London.
Seite 274, Links. Ballkleid, 1828. **Rechts.** Kleidung für ein Abendessen, 1826. Rudolph Ackermann, *Repository of Arts, Literature, Commerce, Manufactures, Fashions and Politics,* London.
Seite 275. Ausgehkleidung. Rudolph Ackermann, *Repository of Arts, Literature, Commerce, Manufactures, Fashions and Politics,* London, 1826.
Seite 276, Links. Ballkleid, 1826. **Oben rechts.** Abendkleid, 1822. **Unten rechts.** Abendkleid, 1827. Rudolph Ackermann, *Repository of Arts, Literature, Commerce, Manufactures, Fashions and Politics,* London.
Seite 277, Links. Abendkleid, 1821. **Rechts.** Morgenkleid, 1821. **Unten.** Reisekleidung, 1820. Rudolph Ackermann, *Repository of Arts, Literature, Commerce, Manufactures, Fashions and Politics,* London.
Seite 278. Hochzeitskleid und Kleid der Brautjungfern sowie Mädchen. *Harper's bazar,* New York, 1870.
Seite 279. Reisepaletot. *Harper's bazar,* New York, 1868.
Seite 280. Ausgehkleider. *Harper's bazar,* New York, 1867.
Seite 281 bis 282. Ausgehkleider. *Harper's bazar,* New York, 1868.
Seite 283, Oben. Kleidung auf dem Land. **Unten.** Ausgehkleidung. *Harper's bazar,* New York, 1868.
Seite 284. Kinderkleidung für ein Leben am Meer. *Harper's bazar,* New York, 1868.
Seite 285 bis 286. Ausgehkleidung. *Harper's bazar,* New York, 1869.
Seite 287, Oben. Ausgehkleidung,1869. **Unten links.** Kleidung für ein Leben am Meer, 1870. **Unten rechts.** Hauskleidung, 1870. *Harper's bazar,* New York.
Seite 288, Oben. Verschiedene Kleidung für das Schlittschuhlaufen. **Unten links.** Abendkleid. **Unten rechts.** Ausgehkleid. *Harper's bazar,* New York, 1870.
Seite 289. Kinderkleidung für den Frühling und Sommer. *Harper's bazar,* New York, 1871.
Seite 290. Ausgehkleid. *Harper's bazar,* New York, 1872.
Seite 291. Kinderkleidung für ein Leben auf dem Land. *Harper's bazar,* New York, 1868.
Seite 292, Oben und unten links. Abendkleid, 1872. **Mitte bis links.** Ausgehkleid, 1873. **Rechts.** Kinderkleidung für den Frühling und Sommer, 1871. *Harper's bazar,* New York.
Seite 293. Ausgehkleid. *Harper's bazar,* New York, 1872.
Seite 294, Oben links. Ausgehkleid, 1870. **Oben rechts.** Abendkleid, 1872. **Unten.** Badekleidung für Frauen und Kinder, 1871. *Harper's bazar,* New York.
Seite 295. Ausgehkleidung. *Harper's bazar,* New York, 1876.
Seite 296. Mantel für den Frühling und Sommer. *Harper's bazar,* New York, 1871.
Seite 297, Links und unten rechts. Kleid "à la polonaise", 1881. **Oben rechts.** Ausgehkleidung, 1876. *Harper's bazar,* New York.
Seite 298. Kleid "à la polonaise". *Harper's bazar,* New York, 1876.
Seite 299, Oben links. Marquise "Sacque", 1875. **Mitte links.** Kleidung auf dem Schiff, 1877. **Unten links.** Abendkleid,1873. **Rechts.** Kleidung für das Landleben, 1876. *Harper's bazar,* New York.
Seite 300. Kleid "à la polonaise". *Harper's bazar,* New York, 1881.
Seite 301. Kleid für ein Abendessen. *Harper's bazar,* New York, 1869.

derecha. Vestido para el paseo, 1825. Rudolph Ackermann, *Repository of Arts, Literature, Commerce, Manufactures, Fashions and Politics,* Londres.
Página 272. Vestido de corte. Rudolph Ackermann, *Repository of Arts, Literature, Commerce, Manufactures, Fashions and Politics,* Londres, 1822.
Página 273, arriba a la izquierda. Vestido de baile, 1824. **Arriba a la derecha.** Vestido para el paseo, 1818. **Abajo.** Traje de noche y de luto, 1820. Rudolph Ackermann, *Repository of Arts, Literature, Commerce, Manufactures, Fashions and Politics,* Londres.
Página 274, a la izquierda. Vestido de baile, 1828. **A la derecha.** Vestido de cena, 1826. Rudolph Ackermann, *Repository of Arts, Literature, Commerce, Manufactures, Fashions and Politics,* Londres.
Página 275. Traje para el paseo. Rudolph Ackermann, *Repository of Arts, Literature, Commerce, Manufactures, Fashions and Politics,* Londres, 1826.
Página 276, a la izquierda. Vestido de baile, 1826. **Arriba a la derecha.** Traje de noche, 1822. **Abajo a la derecha.** Traje de noche, 1827. Rudolph Ackermann, *Repository of Arts, Literature, Commerce, Manufactures, Fashions and Politics,* Londres.
Página 277, a la izquierda. Traje de noche, 1821. **A la derecha.** Vestido para la mañana, 1821. **Abajo.** Vestido de viaje, 1820. Rudolph Ackermann, *Repository of Arts, Literature, Commerce, Manufactures, Fashions and Politics,* Londres.
Página 278. Trajes de novias y vestido de niña. *Harper's Bazar,* New York, 1870.
Página 279. Gabán de viaje. *Harper's Bazar,* New York, 1868.
Página 280. Vestidos para el paseo. *Harper's Bazar,* New York, 1867.
Páginas 281-282. Vestidos para el paseo. *Harper's Bazar,* New York, 1868.
Página 283, arriba. Vestidos para el campo. **Abajo.** Traje para el paseo. *Harper's Bazar,* New York, 1868.
Página 284. Trajes de playa para los niños. *Harper's Bazar,* New York, 1868.
Páginas 285-286. Vestidos para el paseo. *Harper's Bazar,* New York, 1869.
Página 287, arriba. Vestidos para el paseo,1869. **Abajo a la izquierda.** Traje de playa, 1870. **Abajo a la derecha.** Bata, 1870. *Harper's Bazar,* New York.
Página 288, arriba. Trajes para el patinaje. **Abajo a la izquierda.** Traje de noche. **Abajo a la derecha.** Traje elegante. *Harper's Bazar,* New York, 1870.
Página 289. Trajes de niños para la primavera y el verano. *Harper's Bazar,* New York, 1871.
Página 290. Traje elegante. *Harper's Bazar,* New York, 1872.
Página 291. Trajes de niños para el campo. *Harper's Bazar,* New York, 1868.
Página 292, arriba y Abajo a la izquierda. Trajes de noche, 1872. **En el centro a la izquierda.** Vestido para el paseo,1873. **A la derecha.** Trajes de niños para la primavera y el verano, 1871. *Harper's Bazar,* New York.
Página 293. Vestido para el paseo. *Harper's Bazar,* New York, 1872.
Página 294, arriba a la izquierda. Traje para el paseo, 1870. **Arriba a la derecha.** Traje de noche, 1872. **Abajo.** Trajes de baño para mujeres y niños, 1871. *Harper's Bazar,* New York.
Página 295. Traje elegante. *Harper's Bazar,* New York, 1876.
Página 296. Abrigos para la primavera y el verano. *Harper's Bazar,* New York, 1871.

Page 312, left. Reception dress. **Center and right.** Négligés. *The Home Book of Fashions,* winter 1914.
Page 313, top left. Dresses for young girls. **Bottom left.** Négligé. **Right.** Tunic dresses. *The Home Book of Fashions,* winter 1914.
Page 314, top and Bottom left. Dresses for young girls. **Center and right.** Tunic dresses. *The Home Book of Fashions,* winter 1914.
Page 315. Négligés. *The Home Book of Fashions,* winter 1914.
Page 316, left. Pyjama. **Center top.** Evening dress. **Bottom center.** Dresses for young girls. **Right.** Tunic dresses. *The Home Book of Fashions,* winter 1914.
Page 317, top. Coats and dresses for young girls. **Bottom left.** Winter coats. **Bottom right.** Evening dresses. *The Home Book of Fashions,* winter 1914.
Page 318. Winter costumes, back view. *The Home Book of Fashions,* winter 1914.
Pages 319-325. Children's clothes. *The Home Book of Fashions,* winter 1914.
Pages 326-327. Blouses, skirts and dresses. *Russell's Standard Fashions catalogs,* November 1915.
Page 328, top. Draped dresses, December 1915. **Bottom left.** Two piece outfit, February 1916. **Bottom center.** House dresses. **Bottom right.** Blouse and skirt, February 1916. *Russell's Standard Fashions catalogs.*
Page 329, left. Blouse, skirt and dress, November 1915. **Top right.** Evening dress, February 1916. **Bottom right.** Blouse and skirt, February 1916. *Russell's Standard Fashions catalogs.*
Page 330. Negligés and lingerie. *Russell's Standard Fashions catalogs,* February 1916.
Page 331. Coats and dresses. *Russell's Standard Fashions catalogs,* December 1916.
Page 332, left. Jackets and skirts, February 1917. **Right.** Robe, juin 1918. *Russell's Standard Fashions catalogs.*
Page 333. Dresses and blouses. *Russell's Standard Fashions catalogs,* February 1916.
Page 334. Dresses and blouse. *Russell's Standard Fashions catalogs,* January 1919.
Page 335. Dresses, jacket and skirt. *Russell's Standard Fashions catalogs,* January 1919.
Page 336, top. Dresses and jackets for women and young girls, December 1916. **Bottom left.** Coats, skirts and blouses, December 1917. **Bottom right.** Dress, skirt and blouse, June 1918.
Page 337, Right. Dresses and blouses, June 1918.Blouses and skirts, January 1919 and February 1917. *Russell's Standard Fashions catalogs.*
Page 338. Winter skirts and dresses. *Russell's Standard Fashions catalogs,* November 1915.
Page 339. Simple blouses and skirts. *Russell's Standard Fashions catalogs,* February 1916.
Page 340. Evening dresses. *Russell's Standard Fashions catalogs,* November 1915.
Page 341, top. Dresses, blouses and jackets, August 1918. **Bottom**. Lingerie and robes, December 1915. *Russell's Standard Fashions catalogs.*
Page 342, left. Winter dress, January 1919. **Right.** Jacket and skirt, April 1918. *Russell's Standard Fashions catalogs.*
Page 343. Coats. *Russell's Standard Fashions catalogs*, December 1917.

Page 304. Costumes d'hiver parisiens. *Harper's Bazar,* New York, 1893.
Page 305, à gauche. Tenue de tennis, 1881. **À droite.** Manteaux d'opéra, 1882. *Harper's Bazar,* New York.
Pages 306-307. Robes du soir et de bal. *Harper's Bazar,* New York, 1883.
Pages 308-309. Robes de remise des diplômes et robes d'excursion. *Harper's Bazar,* New York, 1893.
Page 310. Costume féminin. *The Home Book of Fashions,* hiver 1914.
Page 311, à gauche. Robe de réception. **À droite.** Costume féminin pour le thé. *The Home Book of Fashions,* hiver 1914.
Page 312, à gauche. Robe de réception. **Au centre et à droite.** Déshabillés. *The Home Book of Fashions,* hiver 1914.
Page 313, en haut à gauche. Robe pour jeunes filles. **En bas à gauche.** Déshabillé. **À droite.** Robes tuniques. *The Home Book of Fashions,* hiver 1914.
Page 314, en haut et en bas à gauche. Robes pour jeunes filles. **Au centre et à droite.** Robes tuniques. *The Home Book of Fashions,* hiver 1914.
Page 315. Déshabillés. *The Home Book of Fashions,* hiver 1914.
Page 316, à gauche. Pyjama. **Au centre en haut.** Robe du soir. **Au centre en bas.** Robe pour jeunes filles. **À droite.** Robe tunique. *The Home Book of Fashions,* hiver 1914.
Page 317, en haut. Manteaux et robes pour jeunes filles. **En bas à gauche.** Manteaux d'hiver. **En bas à droite.** Robes de soirées. *The Home Book of Fashions,* hiver 1914.
Page 318. Costumes d'hiver vus de dos. *The Home Book of Fashions,* hiver 1914.
Pages 319-325. Vêtements pour enfants. *The Home Book of Fashions,* hiver 1914.
Pages 326-327. Chemisiers, jupes et robes. *Russell's Standard Fashions catalogs,* novembre 1915.
Page 328, en haut. Robes drapées, décembre 1915. **En bas à gauche.** Costume deux-pièces, février 1916. **En bas au centre.** Robes d'intérieur. **En bas à droite.** Chemisier et jupe, février 1916. *Russell's Standard Fashions catalogs.*
Page 329, à gauche. Chemisier, jupe et robe, novembre 1915. **En haut à droite.** Robe de soirée, février 1916. **En bas à droite.** Corsage et jupe, février 1916. *Russell's Standard Fashions catalogs.*
Page 330. Déshabillés et lingerie. *Russell's Standard Fashions catalogs,* février 1916.
Page 331. Manteaux et robes. *Russell's Standard Fashions catalogs,* décembre 1916.
Page 332, à gauche. Vestes et jupes, février 1917. **À droite.** Robe, juin 1918. *Russell's Standard Fashions catalogs.*
Page 333. Robes et chemisiers. *Russell's Standard Fashions catalogs,* février 1916.
Page 334. Robes et chemisier. *Russell's Standard Fashions catalogs,* janvier 1919.
Page 335. Robes, vestes et jupes. *Russell's Standard Fashions catalogs,* janvier 1919.
Page 336, en haut. Robes et vestes de jeunes filles et de femmes, décembre 1916. **En bas à gauche.** Manteaux, jupes et chemisiers, décembre 1917. **En bas à droite.** Robe, jupe et chemisier, juin 1918.
Page 337, à droite. Robes et chemisiers, juin 1918. Chemisiers et jupes, janvier 1919 et février 1917. *Russell's Standard Fashions catalogs.*

Seite 302. Abendkleid. *Harper's bazar,* New York, 1873.
Seite 303. Ausgehkleid. *Harper's bazar,* New York, 1872.
Seite 304. Winterkleidung der Pariser. *Harper's bazar,* New York, 1893.
Seite 305, Links. Tenniskleidung, 1881. **Rechts.** Mantel für den Opernbesuch, 1882. *Harper's bazar,* New York.
Seite 306 bis 307. Abendkleider und Ballkleider. *Harper's bazar,* New York, 1883.
Seite 308 bis 309. Kleidung bei Diplomübergaben und Exkursionskleidung. *Harper's bazar,* New York, 1893.
Seite 310. Feminine Kleidung. *The Home Book of Fashions,* Winter 1914.
Seite 311, Links. Empfangskleid. **Rechts.** Frauenkleidung für die Teestunde. *The Home Book of Fashions,* Winter 1914.
Seite 312, Links. Empfangskleid. **Mitte und rechts.** Nicht Angezogene. *The Home Book of Fashions,* Winter 1914.
Seite 313, Oben links. Kleid für junge Mädchen. **Unten links.** Nicht Angezogene. **Rechts.** Tunika. *The Home Book of Fashions,* Winter 1914.
Seite 314, Oben und unten links. Kleider für junge Mädchen. **Mitte und rechts.** Tunikas. *The Home Book of Fashions,* Winter 1914.
Seite 315. Nicht Angezogene. *The Home Book of Fashions,* Winter 1914.
Seite 316, Links. Pyjama. **Mitte oben.** Abendkleid. **Mitte und unten.** Kleid für junge Mädchen. **Rechts.** Tunika. *The Home Book of Fashions,* Winter 1914.
Seite 317, Oben. Mäntel und Kleider für junge Mädchen. **Unten links.** Wintermantel. **Unten rechts.** Abendkleider. *The Home Book of Fashions,* Winter 1914.
Seite 318. Winterkleider - Rückenansicht. *The Home Book of Fashions,* Winter 1914.
Seite 319 bis 325. Kinderkleider. *The Home Book of Fashions,* Winter 1914.
Seite 326 bis 327. Blusen Röcke und Kleider. *Russell's Standard Fashions catalogs,* November 1915.
Seite 328, Oben. Faltenkleider, Dezember 1915. **Unten links.** Zweiteilige Kleider, Februar 1916. **Unten Mitte.** Hauskleidung. **Unten rechts.** Bluse und Rock, Februar 1916. *Russell's Standard Fashions catalogs.*
Seite 329, Links. Bluse, Rock und Kleid, November 1915. **Oben rechts.** Abendkleid, Februar 1916. **Unten rechts.** Korsett und Rock, Februar 1916. *Russell's Standard Fashions catalogs.*
Seite 330. Unterwäsche. *Russell's Standard Fashions catalogs,* Februar 1916.
Seite 331. Mäntel und Kleider. *Russell's Standard Fashions catalogs,* Dezember 1916.
Seite 332, Links. Westen und Röcke, Februar 1917. **Rechts.** Kleid, Juni 1918. *Russell's Standard Fashions catalogs.*
Seite 333. Röcke und Blusen. *Russell's Standard Fashions catalogs,* Februar 1916.
Seite 334. Kleider und Blusen. *Russell's Standard Fashions catalogs,* Januar 1919.
Seite 335. Kleider, Westen und Röcke. *Russell's Standard Fashions catalogs,* Januar 1919.
Seite 336, Oben. Kleider und Westen junger Mädchen und Frauen, Dezember 1916. **Unten links.** Mäntel, Röcke und Blusen, Dezember 1917. **Unten rechts.** Kleid, Rock und Bluse, Juni 1918.
Seite 337, Rechts. Kleider und Blusen, Juni 1918. Blusen und

Página 297, a la izquierda y Abajo A la derecha. Vestidos "à la polonaise", 1881. **Arriba a la derecha.** Traje para el paseo, 1876. *Harper's Bazar,* New York.
Página 298. Vestido "à la polonaise". *Harper's Bazar,* New York, 1876.
Página 299, arriba a la izquierda. Marquesa "Sacque", 1875. **En el centro a la izquierda.** Traje de playa, 1877. **Abajo a la izquierda.** Traje de noche,1873. **A la derecha.** Traje para el campo, 1876. *Harper's Bazar,* New York.
Página 300. Vestido "à la polonaise". *Harper's Bazar,* New York, 1881.
Página 301. Vestido de cena. *Harper's Bazar,* New York, 1869.
Página 302. Traje de noche. *Harper's Bazar,* New York, 1873.
Página 303. Vestido para el paseo. *Harper's Bazar,* New York, 1872.
Página 304. Trajes para el invierno en París. *Harper's Bazar,* New York, 1893.
Página 305, a la izquierda. Traje para el tenis, 1881. **A la derecha.** Abrigos para el Opera, 1882. *Harper's Bazar,* New York.
Páginas 306-307. Trajes de noche y de baile. *Harper's Bazar,* New York, 1883.
Páginas 308-309. Togas y vestidos para el viaje. *Harper's Bazar,* New York, 1893.
Página 310. Traje femenino. *The Home Book of Fashions,* invierno 1914.
Página 311, a la izquierda. Traje de noche. **A la derecha.** Traje para el té. *The Home Book of Fashions,* invierno 1914.
Página 312, a la izquierda. Traje de noche. **En el centro y a la derecha.** Trajes de casa. *The Home Book of Fashions,* invierno 1914.
Página 313, arriba a la izquierda. Vestido para jóvenes. **Abajo a la izquierda.** Trajes de casa. **A la derecha.** Túnicas. *The Home Book of Fashions,* invierno 1914.
Página 314, arriba y abajo a la izquierda. Vestido para jóvenes. **En el centro y a la derecha.** Túnicas. *The Home Book of Fashions,* invierno 1914.
Página 315. Trajes de casa. *The Home Book of Fashions,* invierno 1914.
Página 316, a la izquierda. Pijama. **En el centro arriba.** Traje de noche. **En el centro Abajo.** Vestido para jóvenes. **A la derecha.** Túnica. *The Home Book of Fashions,* invierno 1914.
Página 317, arriba. Abrigos y vestidos para las jóvenes. **Abajo a la izquierda.** Abrigos para el invierno. **Abajo a la derecha.** Traje de noche. *The Home Book of Fashions,* invierno 1914.
Página 318. Trajes para el invierno. *The Home Book of Fashions,* invierno 1914.
Páginas 319-325. Trajes para niños. *The Home Book of Fashions,* invierno 1914.
Páginas 326-327. Blusa, faldas y vestidos. *Russell's Standard Fashions catalogs,* noviembre 1915.
Página 328, arriba. Vestidos drapeados, diciembre 1915. **Abajo a la izquierda.** Dos piezas, febrero 1916. **Abajo en el centro.** Trajes de casa. **Abajo a la derecha.** Blusa y falda, febrero 1916. *Russell's Standard Fashions catalogs.*
Página 329, a la izquierda. Blusa, falda y vestido, noviembre 1915. **Arriba a la derecha.** Traje de noche, febrero 1916. **Abajo a la derecha.** Blusa y falda, febrero 1916. *Russell's Standard Fashions catalogs.*
Página 330. Trajes de casa y ropa interior. *Russell's Standard Fashions catalogs,* febrero 1916.

Page 344. Coats and dresses. *Russell's Standard Fashions catalogs,* October 1916.
Page 345. Skirts and blouses. *Russell's Standard Fashions catalogs,* June 1918.
Page 346, top. Draped dresses, December 1915. **Bottom left and center.** Robe and chasuble dress, April 1918. Dress in the medieval style, December 1916. *Russell's Standard Fashions catalogs.*
Page 347, left. House dresses and robe, October 1917. **Right.** Robe redingote, December 1916. *Russell's Standard Fashions catalogs.*
Page 348. Coat and dresses with convertible collars. *Russell's Standard Fashions catalogs*, October 1917.
Page 349. Blouses and skirts. *Russell's Standard Fashions catalogs,* June 1918.

Page 338. Robes et jupes d'hiver. *Russell's Standard Fashions catalogs,* novembre 1915.
Page 339. Chemisiers et jupes simples. *Russell's Standard Fashions catalogs,* février 1916.
Page 340. Robes de soirée. *Russell's Standard Fashions catalogs,* novembre 1915.
Page 341, en haut. Robes, chemisiers et vestes, août 1918. **En bas**. Déshabillés et robes d'intérieur, décembre 1915. *Russell's Standard Fashions catalogs.*
Page 342, à gauche. Robe d'hiver, janvier 1919. **À droite.** Veste et jupe, avril 1918. *Russell's Standard Fashions catalogs.*
Page 343. Manteaux. *Russell's Standard Fashions catalogs,* décembre 1917.
Page 344. Manteaux et robes. *Russell's Standard Fashions catalogs,* octobre 1916.
Page 345. Jupes et chemisiers. *Russell's Standard Fashions catalogs,* juin 1918.
Page 346, en haut. Robes drapées, décembre 1915. **En bas à gauche et au centre.** Robe et robe chasuble, avril 1918. Robe de style Moyen Âge, décembre 1916. *Russell's Standard Fashions catalogs.*
Page 347, à gauche. Robes d'intérieur et robe de chambre, octobre 1917. **À droite.** Robe redingote, décembre 1916. *Russell's Standard Fashions catalogs.*
Page 348. Manteau et robes à col convertible. *Russell's Standard Fashions catalogs,* octobre 1917.
Page 349. Chemisiers et jupes. *Russell's Standard Fashions catalogs,* juin 1918.

Röcke, Januar 1919 und Februar 1917. *Russell's Standard Fashions catalogs.*
Seite 338. Winterkleider und Winterröcke. *Russell's Standard Fashions catalogs,* November 1915.
Seite 339. Einfache Blusen und Röcke. *Russell's Standard Fashions catalogs,* Februar 1916.
Seite 340. Abendkleider. *Russell's Standard Fashions catalogs,* November 1915.
Seite 341, Oben. Kleider, Blusen und Westen, August 1918. **Unten.** Nichtangezogene und Hauskleider, Dezember 1915. *Russell's Standard Fashions catalogs.*
Seite 342, Links. Winterkleid, Januar 1919. **Rechts.** Weste und Rock, April 1918. *Russell's Standard Fashions catalogs.*
Seite 343. Mäntel. *Russell's Standard Fashions catalogs,* Dezember 1917.
Seite 344. Mäntel und Kleider. *Russell's Standard Fashions catalogs,* Oktober 1916.
Seite 345. Röcke und Blusen. *Russell's Standard Fashions catalogs,* Juni 1918.
Seite 346, Oben. Faltenkleider, Dezember 1915. **Unten links und Mitte.** Kleid und Meßgewandkleid, April 1918. Kleid im mittelalterlichen Stil, Dezember 1916. *Russell's Standard Fashions catalogs.*
Seite 347, Links. Hauskleider und Bademantel, Oktober 1917. **Rechts.** Redingotes Kleid, Dezember 1916. *Russell's Standard Fashions catalogs.*
Seite 348. Mantel und verwandelbares Halskleid. *Russell's Standard Fashions catalogs,* Oktober 1917.
Seite 349. Blusen und Röcke. *Russell's Standard Fashions catalogs,* Juni 1918.

Página 331. Abrigos y vestidos. *Russell's Standard Fashions catalogs,* diciembre 1916.
Página 332, a la izquierda. Chaquetas y faldas, febrero 1917. **A la derecha.** Vestido, junio 1918. *Russell's Standard Fashions catalogs.*
Página 333. Vestidos y blusas. *Russell's Standard Fashions catalogs,* febrero 1916.
Página 334. Vestidos y blusas. *Russell's Standard Fashions catalogs,* enero 1919.
Página 335. Vestidos, chaquetas y faldas. *Russell's Standard Fashions catalogs,* enero 1919.
Página 336, arriba. Vestidos y chaquetas para las jóvenes y las mujeres, diciembre 1916. **Abajo a la izquierda.** Abrigos, faldas y blusas, diciembre 1917. **Abajo a la derecha.** Vestido, falda y blusa, junio 1918.
Página 337, a la derecha. Vestidos y blusas, junio 1918. Blusas y faldas, enero 1919 y febrero 1917. *Russell's Standard Fashions catalogs.*
Página 338. Vestidos y faldas para el invierno. *Russell's Standard Fashions catalogs,* noviembre 1915.
Página 339. Blusas y faldas simples. *Russell's Standard Fashions catalogs,* febrero 1916.
Página 340. Trajes de noche. *Russell's Standard Fashions catalogs,* noviembre 1915.
Página 341, arriba. Vestidos, blusas y chaquetas, agosto 1918. **Abajo.** Trajes de casa, diciembre 1915. *Russell's Standard Fashions catalogs.*
Página 342, a la izquierda. Vestido para el invierno, enero 1919. **A la derecha.** Chaqueta y falda, abril 1918. *Russell's Standard Fashions catalogs.*
Página 343. Abrigos. *Russell's Standard Fashions catalogs,* diciembre 1917.
Página 344. Abrigos y vestidos. *Russell's Standard Fashions catalogs,* octubre 1916.
Página 345. Faldas y blusas. *Russell's Standard Fashions catalogs,* junio 1918.
Página 346, arriba. Vestidos drapeados, diciembre 1915. **Abajo a la izquierda y en el centro.** Vestido y casulla, abril 1918. Vestido de estile medioeval, diciembre 1916. *Russell's Standard Fashions catalogs.*
Página 347, a la izquierda. Trajes de casa, octubre 1917. **A la derecha.** Vestido redingote, diciembre 1916. *Russell's Standard Fashions catalogs.*
Página 348. Abrigos y vestidos con un col transformable. *Russell's Standard Fashions catalogs,* octubre 1917.
Página 349. Blusas y faldas. *Russell's Standard Fashions catalogs,* junio 1918.

Achevé d'imprimer
en février 2002 par Valprint
en Italie
Dépôt légal 1er trimestre 2002